ДАНИЭЛА СТИЛ

ПЯТЬ ДНЕЙ В ПАРИЖЕ

АСТ
ИЗДАТЕЛЬСТВО

Москва
1999

ББК 84(7США)
С80

Danielle Steel
FIVE DAYS IN PARIS
1995

Перевод с английского С. Алексеевой

Серийное оформление А. Кудрявцева

**Печатается с разрешения автора
c/o Janklow & Nesbit Associates
и "Права и переводы" (Москва).**

Стил Д.

С80   Пять дней в Париже: Роман/Пер. с англ. С. Алексеевой. – М.: ООО "Фирма "Издательство АСТ", 1999. – 384 с.

ISBN 5-237-02933-7

Оливия — загадочная хрупкая женщина с трагическим прошлым... До встречи с ней в парижском отеле «Ритц» Питер Хаскелл и не подозревал о том, что вся его жизнь построена на компромиссах с собственной совестью. Теперь судьба ставит его перед выбором — любовь и свобода или богатство и карьера.

Попейе, со всей любовью

Олив

Пять минут... пять дней...
и в один момент жизнь
изменилась навсегда.

Глава 1

Когда самолет коснулся взлетной полосы аэропорта Шарль де Голль, погода во французской столице стояла на удивление теплая. Через пять минут Питер Хаскелл уже пробирался сквозь толпу, прижимая к себе маленький чемоданчик. Оказавшись у таможенного поста, он заулыбался, несмотря на жару и количество людей, стоявших перед ним. Питер Хаскелл любил Париж.

Обычно он прилетал в Европу четыре или пять раз в год. Фармацевтическая фирма, которой он руководил, имела свои филиалы в Германии, Швейцарии и Франции; в Англии находились мощные лаборатории и заводы. Посещать все эти дочерние предприятия было всегда интересно. Питер регулярно обменивался идеями с работавшими в Европе учены-

ми и пытался угадать новые направления деятельности. Но на этот раз целью его поездки была не просто инспекция или внедрение нового продукта. Он
прилетел, чтобы присутствовать при рождении «своего ребенка». «Викотек». Мечта всей его жизни. «Викотек» должен изменить жизнь и сознание всех
больных раком, произвести революцию в программе
и самой природе химиотерапии по всему миру. И это
станет вкладом Питера Хаскелла в историю человечества. В течение последних четырех лет он жил только
этим — если не считать семьи, конечно же. Разумеется, это принесет миллионы компании «Уилсон—
Донован». Более того, ему было ясно, что в первые
же пять лет после внедрения препарата на рынок прибыль его компании перевалит за миллиард долларов.
Но не это было самым главным для Питера. Гораздо
важнее — жизнь. Для тех больных, которые влачи-
ли жалкое существование, «Викотек» должен стать
пламенем свечи во мраке недуга. Он должен помочь
им. Поначалу это казалось не более чем идеалисти-
ческой мечтой, однако теперь фирма так близка к
победе, и Питер замирал от восторга всякий раз, когда думал о том, что должно вот-вот произойти.

Результаты последних исследований оказались безупречными. Встречи в Германии и Швейцарии прошли отлично. В европейских лабораториях тестирование гораздо жестче, чем в Штатах. Но ученые убедились в том, что препарат безопасен. Настала пора переходить к первой фазе испытаний на людях, сразу же после одобрения препарата ФДА*. Новое средство планировалось давать небольшими дозами контрольной группе добровольцев.

«Уилсон—Донован» уже отправила запрос в ФДА в январе, за несколько месяцев до приезда Питера в Париж. Теперь она собиралась потребовать окончательного одобрения «Викотека» и разрешения на испытания на людях. Все упиралось в решение ФДА. Комиссия должна была убедиться в безопасности препарата. Процесс скорейшего одобрения назывался «зеленая улица» и применялся только по отношению к лекарствам, которые предназначены для лечения смертельных болезней. Получив одобрение, сотрудники компании собирались начать испытания препарата на группе из ста больных, которые дадут подписку, что знают о потенциальной опасности лечения. Все эти

---

* ФДА (FDA — Food and Drug Administration) — Комиссия по контролю за пищевыми продуктами и медицинскими препаратами. — *Примеч. пер.*

люди безнадежно больны, и «Викотек» становился их единственной надеждой. Те, кто соглашался участвовать в подобного рода испытаниях, были благодарны за любую предложенную помощь.

«Уилсон—Донован» намеревалась как можно скорее перейти к клиническим исследованиям на пациентах, почему и было важно испытать безопасность «Викотека» до слушаний ФДА в сентябре. Питер не сомневался, что тесты, которые должен был провести Поль-Луи Сушар, глава лаборатории фирмы в Париже, только подтвердят безупречные результаты женевских ученых.

— Отдых или бизнес, мсье?

Бесстрастный таможенник поставил штамп в его паспорте, почти не взглянув на него. У Питера были голубые глаза и темные волосы. Он выглядел моложе своих сорока четырех лет. Лицо его имело правильные черты, он был высок, и большинство знакомых считали его красивым.

— Бизнес, — почти с гордостью ответил он. «Викотек». Виктория — победа. Спасение для больных, вынужденных сражаться с изматывающим ужасом химиотерапии и рака.

Таможенник протянул Питеру паспорт, и через минуту Питер уже ловил такси. Стоял великолепный солнечный июньский день. В Женеве ему нечего было делать, поэтому он прилетел в Париж на день раньше, чем рассчитывал. Питер любил этот город. Он без труда найдет себе занятие, хотя бы прогуляется по набережной Сены. Или, может быть, Сушар согласится встретиться с ним раньше назначенного срока, хотя сегодня и воскресенье. Однако звонить ему еще рано. Поскольку Поль-Луи был французом до мозга костей — очень серьезным и немного жестким, — Питер собирался позвонить ему из гостиницы и выяснить, свободен ли он и готов ли изменить свои планы.

За последние годы Питер научился немного говорить по-французски, хотя все деловые переговоры с Сушаром он вел на английском языке. Питер Хаскелл многое усвоил с тех пор, как уехал со Среднего Запада. Даже таможенник в аэропорту Шарль де Голль сразу понял, что перед ним очень значительный человек, умный и интеллигентный. Он производил впечатление спокойного, мягкого и сильного человека. В сорок четыре года Питер был президентом одной из крупнейших фармацевтических компаний мира. Он был не ученым, а торговцем, как Фрэнк Донован, председатель фирмы. По случайному стечению обстоятельств восемнадцать лет назад Питер Хаскелл женился на дочери Фрэнка. С его стороны это не было холодным расчетом, это было совпадение, насмешка судьбы, против которой он боролся в первые шесть лет их знакомства.

Питер не хотел жениться на Кейт Донован. Когда они познакомились в университете Мичигана, ей исполнилось девятнадцать, а ему двадцать и он ничего не знал о ее семье. Симпатичная блондиночка, с которой он столкнулся на дискотеке, после первых же свиданий вскружила ему голову. Они встречались в течение пяти месяцев, пока кто-то из однокашников не сказал Питеру о том, что он не дурак, раз отхватил такой куш, как юная и красивая Кэти. В ответ на недоуменный взгляд Питера приятель объяснил, что она — единственная наследница Фрэнка Донована, владельца крупнейшей фармацевтической компании в стране. И Питер со всей яростью и наивностью двадцатилетнего мальчишки обрушился на Кэти за то, что она ничего ему не сказала.

— Как ты могла? Почему ты молчала?! — кричал он.

— А что мне нужно было сказать? Неужели я обязана была предупредить тебя, кто мой отец? Мне казалось, что тебе все равно.

Кэти очень обидел этот взрыв гнева, и она испугалась, что он ее бросит. Она уже знала, насколько он горд и беден. Питер говорил, что его родители только в этом году купили молочную ферму, на которой отец работал всю свою жизнь. Ферма была заложена, и Питер пребывал в постоянном страхе, опасаясь, что дела отца пойдут плохо и ему придется бросить учебу и вернуться в Висконсин, чтобы помочь семье.

— Ты прекрасно знаешь: мне не все равно. И что теперь делать?

Питер лучше других знал, что ему не место в ее мире, что он к нему не принадлежит и никогда не будет принадлежать и Кэти никогда не согласится жить на ферме в Висконсине. Она уже много чего в жизни видела и была слишком умудренной, хотя и не сознавала этого. Проблема заключалась в том, что Питер не ощущал свою принадлежность к тому миру, в котором он вырос. Находясь дома, он изо всех сил старался казаться «своим парнем», но разница все равно чувствовалась — в нем словно жил неулови-

мый дух большого города. В детстве он ненавидел
жизнь на ферме и мечтал отправиться в Чикаго или
Нью-Йорк, чтобы влиться в деловой мир. Питер терпеть не мог доить коров, складывать сено в стога или
бесконечно очищать стойла от грязи. В течение нескольких лет Питер помогал своему отцу на ферме,
которая потом перешла во владение к старшему Хаскеллу. И Питер прекрасно знал, что это означает.
После окончания колледжа ему в любом случае придется вернуться домой и стать таким же фермером,
как его родители. Он ждал этого с ужасом, но не
искал легких путей, веря, что нужно выполнять свой
долг, не уходить от ответственности и не пытаться
увильнуть от обязанностей. Его мать всегда говорила,
что ее Питер — хороший мальчик, который не будет страшиться тяжелого труда и постарается заработать себе на хлеб.

Но после того как Питер узнал о семье Кэти, он
почувствовал, что продолжать эти отношения нечест-
но. Он очень привязался к ней, но их роман был тем
самым легким выходом, способом быстро взойти на
вершину, срезанием угла. Какой бы хорошенькой ни
была его избранница, как бы сильно Питер — по
крайней мере так ему казалось — ни был в нее влюб-

лен, он знал, что ничего не может поделать со своим предубеждением. Он решил не извлекать никакой выгоды из их романа, они даже поссорились и не виделись целых две недели. Кэти пыталась его убедить, но безуспешно. Она страшно расстроилась, да и Питер тяжело переживал размолвку, хотя и не признавался себе в этом. После первого курса он отправился в Висконсин помогать отцу, а к концу лета решил взять отпуск на год, чтобы поднять ферму. Прошлая зима выдалась на редкость тяжелой, и Питеру казалось, что, используя знания, полученные в колледже, он сможет поправить пошатнувшееся дело родителей.

И он бы смог это сделать, если бы его не завербовали и не послали во Вьетнам. Целый год Питер провел в Дананге, а потом был переведен в Сайгон, где работал на ЦРУ. Для него это было время смятения. В момент демобилизации ему исполнилось всего двадцать два года, и он так и не нашел ответа на те жизненно важные вопросы, которые его волновали. Он не знал, что ему делать дальше, не хотел возвращаться на ферму, хотя и сознавал, что это его долг. Пока он служил, умерла его мать, и Питер понимал, что отец тяжело переживает эту потерю.

У него оставался еще целый год в колледже, но он не хотел возвращаться в университет, чувствуя, что перерос его. Кроме того, ему не давало покоя вьетнамское прошлое. Питер хотел ненавидеть эту страну, но вместо этого она так задела его, что он полюбил ее и покинул с огромной тоской в сердце. Там у него было несколько мелких романов, в основном со служившими в войсках американками, а также с юной вьетнамской красавицей. Но эти романы в условиях войны, когда человек в любой момент мог погибнуть, отдавали какой-то щемящей мимолетностью и обреченностью. Он больше не пытался связаться с Кэти Донован, хотя и получил от нее рождественскую открытку, пересланную из Висконсина. Оказавшись во Вьетнаме, Питер поначалу много о ней думал, но потом ему стало казаться, что проще всего вообще ей не писать. Что он может сказать? «Прости, что ты так богата, а я так беден... Живи в свое удовольствие в Коннектикуте, а я буду выгребать дерьмо из стойла до конца своих дней... Ну, пока...»

Но по возвращении домой всем его близким в очередной раз стало ясно, что он не их поля ягода, и даже отец Питера сам посоветовал ему поискать работу в Чикаго. Питер без труда нашел место в маркетинговой компании, начал ходить в вечерний колледж, получил там степень... и однажды в гостях у своего старого приятеля из Мичигана встретился с Кэти. Оказалось, что она переехала и теперь тоже живет в Чикаго, оканчивает Северо-Западный университет*. Когда Питер увидел ее, у него перехватило дыхание. Кэти еще больше похорошела. С их последней встречи прошло уже три года, и изумленный Питер вдруг осознал, что после того, как он несколько лет пытался заставить себя не думать о ней, она все еще волновала его.

— Что ты здесь делаешь? — нервно спросил Питер, как будто она не могла делать ничего иного, как только пребывать в его воспоминаниях. После того как он оставил колледж, образ Кэти преследовал его в течение нескольких месяцев, особенно в начале службы. Но потом он как-то сумел отодвинуть свою первую любовь в прошлое и надеялся, что она там и останется. Но эта неожиданная встреча показала, как он ошибался.

— Я заканчиваю учебу, — ответила Кэти, внимательно разглядывая его.

---

* Более престижный из двух расположенных в Чикаго университетов. — *Примеч. пер.*

Питер стал выше, похудел, глаза его поголубели, а волосы еще больше потемнели. Он сильно отличался от того мальчика, который жил в ее бесконечных воспоминаниях, и вызывал совсем другие, более острые и волнующие чувства. Кэти не смогла его забыть. Это был единственный мужчина, который расстался с ней только потому, что она стояла выше его на социальной лестнице и он не мог ей дать того, что она заслуживает.

— Я слышала, ты воевал во Вьетнаме. Наверное, это было ужасно. — Кэти говорила тихо, боясь снова отпугнуть его, сделать неверный шаг. Она прекрасно знала, что этот гордец никогда не сделает первого шага.

Питер тоже наблюдал за ней, спрашивая себя, какой стала его прежняя подружка и чего она от него хочет. Но Кэти производила впечатление совершенно невинной и безвредной девочки, несмотря на свою устрашающую родословную и на ту угрозу, которую, как Питер себя убедил, она несет с собой, — угрозу его цельности. Кэти казалась звеном в цепи, которую ему хотелось разорвать, — он жаждал отринуть прошлое и стремился в будущее, но не знал, каким оно будет. После их последней встречи он столько пережил, что сейчас, глядя на нее, не мог даже вспомнить, что именно его в свое время так напугало. Теперь Кэти не казалась ему такой опасной — наоборот, она была очень молода, наивна и неотразимо привлекательна.

В тот вечер они проговорили несколько часов подряд, и в конце концов Питер проводил ее до дома. А потом, сознавая, что не должен этого делать, он позвонил Кэти. Ему вдруг стало казаться, что все очень просто, и он даже попытался внушить себе, что они могут быть просто друзьями, во что, правда, ни один из них не верил. Но одно Питер сознавал твердо — он хотел быть рядом с Кэти. Она была яркая, веселая, она понимала все его необычные чувства — непохожесть на других, желание как-то переменить свою жизнь. Со временем, в далеком-далеком будущем, ему хотелось потрясти весь мир, остаться в памяти людей. Кэти была единственным человеком в его жизни, который это понимал. У него было столько мечтаний, столько добрых намерений! И теперь, двадцать лет спустя, «Викотек» превращал все эти мечты в действительность.

Питер Хаскелл сел в такси, бросив свой чемоданчик в багажник, и объяснил водителю, куда ехать. Таксист безмолвно кивнул. Все в Питере свидетельствовало о том, что он был властным человеком, занимавшим высокое положение. Но те, кто догадывался заглянуть ему в глаза, видели в них доброту, силу, цельность, сердце, способное к состраданию, и чувство юмора. Ни великолепно сшитый костюм, ни накрахмаленная белая рубашка, ни галстук от «Эрме» и дорогой кейс не могли этого скрыть.

— Жарко, правда? — обронил Питер, когда машина тронулась, пытаясь завязать разговор. Водитель снова кивнул. По акценту он без труда определил, что в его машину сел американец, но Питер говорил очень правильно, и таксист ответил ему по-французски, говоря медленно, чтобы богатый иностранец мог его понять.

— Такая погода стоит уже неделю. Вы приехали из Америки? — с интересом спросил водитель. Питер умел располагать к себе людей, их словно притягивало к нему. Возможно, таксист не был бы столь любезен, если бы его пассажир не говорил по-французски.

— Я приехал из Женевы, — объяснил Питер и замолчал, думая о Кэти и улыбаясь. Ему всегда хотелось, чтобы его жена путешествовала вместе с ним, но этого почти никогда не случалось. Сначала дети были маленькими, а потом Кэти погрузилась в свой

собственный мир, еле справляясь с миллиардом обязанностей. За все годы их совместной жизни они
ездили вместе всего два раза — в Лондон и в Швей-
царию. В Париже им вдвоем не приходилось бывать
никогда.

Париж был для Питера особенным городом, кульминацией всего того, о чем он всегда мечтал, никогда
не сознавая этого. В течение многих лет он в поте
лица трудился ради благосостояния своей семьи и
здоровья людей. Со стороны могло показаться, что
успех и деньги приходят к нему слишком легко, но
он-то прекрасно знал, что это не так. За так в жизни
ничего не дается. Ты получаешь только то, что зара-
ботал.

После того как Питер снова нашел Кэти, он встречался с ней еще два года. Окончив университет, она
осталась в Чикаго и пошла работать в художествен-
ную галерею — только для того, чтобы быть рядом
с Питером. Девушка влюбилась в него по уши, но
Питер был непреклонен в своем решении никогда на
ней не жениться. Он продолжал настаивать на том,
что когда-нибудь они прекратят встречаться, а Кэти
переедет в Нью-Йорк и заведет себе какого-нибудь
другого поклонника. Но Питер никак не мог заста-

вить себя порвать с ней и в конце концов вынудил ее
саму перейти к решительным мерам. К этому времени они очень сильно привязались друг к другу, и
даже Кэти понимала, что он действительно любит ее.
В итоге в дело вступил ее отец, оказавшийся весьма
умным человеком. В разговоре с Питером он ни разу
не упомянул об отношениях молодого человека с его
дочерью, обсуждая только деловые вопросы. Мистер Донован инстинктивно почувствовал, что это
единственный способ заставить Питера ослабить
бдительность. Фрэнк хотел, чтобы Питер и его
дочь переехали в Нью-Йорк, и делал все, что от
него зависело, чтобы помочь Кэти завоевать своего неприступного друга.

Подобно Питеру, Фрэнк Донован занимался мар-
кетингом, и в гораздо более крупных масштабах. Он
беседовал с поклонником своей дочери о его карьере,
жизненных планах, о будущем. Фрэнку понравилось
то, что он услышал от молодого человека, и в итоге
Питеру было предложено место в «Уилсон—Донован». Про Кэти отец не сказал ни слова. Наоборот,
он настаивал на том, что это не имеет никакого отношения к его дочери. Ему удалось убедить Питера в
том, что работа в «Уилсон—Донован» позволит ему

сделать фантастическую карьеру, и Донован пообещал ему, что никто и не подумает о связи его деятельности с Кэти. По мнению Фрэнка, их отношения представляли собой нечто совершенно отдельное. Но работа как таковая стоила того, чтобы о ней подумать, и Питер прекрасно это понимал. Несмотря на все свои страхи, он мечтал о месте в крупной нью-йоркской корпорации — и его желание совпадало с желанием его подруги.

Питер погрузился в мучительные раздумья и вел бесконечные споры с самим собой. Позвонив своему отцу, чтобы посоветоваться, он понял, что Хаскелл-старший считает это хорошим шагом. Тогда Питер поехал на выходные домой в Висконсин — еще раз обсудить все это с отцом. Тот мечтал о хорошей карьере для сына и принялся подбивать его принять предложение Донована. Старик видел в своем сыне нечто такое, чего сам Питер не замечал. У него были качества лидера, которых не было у большинства людей, тихая сила, упорство и мало кому свойственная смелость. Отец знал, что Питер всегда сделает хорошо все, за что ни возьмется. И родительское чутье подсказывало ему, что работа в «Уилсон—Донован» — это только начало. Когда Питер был совсем маленьким, Хаскелл-отец часто подтрунивал над своей женой, говоря, что их сыночек когда-нибудь станет президентом или по крайней мере губернатором Висконсина. И иногда миссис Хаскелл верила ему. Когда речь шла о Питере, легко было поверить в хорошее.

Его сестра Мюриэл говорила то же самое. Для нее брат всегда был героем, еще до Чикаго или Вьетнама, даже до того, как он поступил в колледж. В нем было что-то особенное, и все это знали. И она повторяла Питеру то же, что и отец: езжай в Нью-Йорк, хватайся за эту возможность. Мюриэл даже спрашивала его, думает ли он жениться на Кэти, но Питер отвечал, что никогда этого не сделает, и Мюриэл с сожалением вздыхала. Ей очень нравилась Кэти; с фотографий, которые Питер привез с собой, на нее смотрела настоящая красавица.

Отец Питера уже давно приглашал своего сына к себе вместе с Кэти, но Питер всегда говорил, что он не хочет давать девушке ложные надежды на будущее. Может быть, она и освоит нехитрую деревенскую премудрость и будет доить коров вместе с Мюриэл, но что дальше? Это было все, что он мог ей дать, и он не собирался обрекать Кэти на ту тяжкую трудовую жизнь, которую он вел с детства. Насколько он знал, его мать это просто убило. Она умерла от рака, не имея денег заплатить за лечение и уход. У отца даже не было медицинской страховки. Питер всегда был уверен, что мать умерла от бедности, усталости и непосильных жизненных тягот. Приданое Кэти не могло спасти ситуацию — он слишком любил ее для того, чтобы позволить ей влачить это жалкое существование или даже видеть такую жизнь. В свои двадцать два года его сестра уже выглядела изможденной, намного старше своих лет. Она вышла замуж сразу же после школы и в течение трех лет родила троих детей от парня, который ухаживал за ней еще во время учебы. Питеру хотелось бы, чтобы у Мюриэл тоже была иная судьба, но одного взгляда на нее было достаточно, чтобы понять: она никогда не выберется из этой рутины, никогда не пойдет учиться в колледж. Питер, так же как и его сестра, знал, что они с мужем будут до конца дней своих работать на молочной ферме отца, если он не потеряет ее. Иного пути для них не было. Питер — другое дело. Мюриэл никогда не возмущалась по этому поводу. Она была счастлива за своего брата. Их дороги разош-

лись, и Питеру ничего другого не оставалось, как
вступить на тропу, предложенную ему Фрэнком Донованом.

— Давай, Питер, — шепнула ему Мюриэл, когда он приехал на ферму поговорить с родными. —
Поезжай в Нью-Йорк. Папа хочет, чтобы ты так
поступил, — добавила она с гордостью. — Мы все
этого хотим.

Все это звучало так, как будто они советовали
ему спасаться, хвататься за соломинку, выплывать из
той жизненной трясины, которая могла его затянуть.
Они хотели, чтобы Питер отправился в Нью-Йорк и
начал там большую жизнь.

Когда Питер уезжал с фермы, в горле его стоял
комок. Отец и Мюриэл махали ему вслед, пока машина не исчезла из виду. Все трое понимали, какой
это важный момент в его жизни — важнее колледжа, важнее Вьетнама. Он разрывал связь с родной
фермой в душе и сердце.

Вернувшись в Чикаго, Питер не стал звонить Кэти
и провел вечер в одиночестве. Но на следующее утро
он связался с ее отцом и дал свое согласие, еле удер-
живая телефонную трубку в трясущихся руках.

Две недели спустя он уже переехал в Нью-Йорк и работал в «Уилсон—Донован», каждое утро просыпаясь с таким чувством, как будто получил «Грэмми».

Кэти, работавшая секретарем в художественной галерее в Чикаго, ушла с работы в тот день, когда Питер устроился в компанию ее отца, и тоже переехала в Нью-Йорк, в папину квартиру. Фрэнк Донован был счастлив. Его план работал. Дочка была дома, и он без особого труда нашел великолепного специалиста по маркетингу. Как ни крути, все складывалось очень удачно.

В течение нескольких последующих месяцев Питер сосредоточился на деле, отставив в сторону свой роман. Поначалу это немного раздражало Кэти, но когда она пожаловалась на это отцу, он мудро посоветовал ей проявить терпение. Постепенно Питер расслабился и стал меньше беспокоиться о незаконченных делах, которые ждали его в кабинете. Правда, он все равно стремился к совершенству во всем, чтобы оправдать доверие Фрэнка и выказать ему свою благодарность.

Питер даже перестал приезжать домой в Висконсин — из-за недостатка времени. Но со временем, к облегчению Кэти, он начал выделять в своем распорядке часы для развлечений. Они вместе ходили на вечеринки и в театры, и Кэти познакомила его со всеми своими друзьями. Питер с удивлением обнаружил, что все они очень ему нравились и что ему с ними легко.

Шли месяцы, и постепенно Питеру переставало казаться ужасным то, чего он раньше так боялся в Кэти. На службе все было хорошо, и, к его большому удивлению, никого не волновало ни его происхождение, ни то, как он попал в фирму. Сотрудники приняли его и подружились с ним. И на этой волне добрых чувств они с Кэти объявили о своей помолвке в тот же год, что не было сюрпризом ни для кого, за исключением, пожалуй, самого Питера. Но к тому моменту он уже достаточно давно ее знал и начал чувствовать себя вполне уютно в ее мире, как будто он сам всегда к нему принадлежал. Фрэнк Донован говорил, что так и должно быть, на что Кэти неизменно улыбалась. Она никогда не сомневалась в том, что Питер был предназначен ей самой судьбой и она хочет быть его женой.

Мюриэл очень обрадовалась, когда он позвонил ей, чтобы сообщить свои новости. Единственным человеком, возражавшим против этого союза, к немалому разочарованию Питера, оказался его отец. Он отговаривал сына от этого с тем же пылом, с каким в свое время убеждал согласиться работать в «Уилсон—Донован». Старик Хаскелл был абсолютно уверен в том, что со временем Питер будет жалеть об этом браке.

— Если ты женишься на ней, сынок, ты всегда будешь парией в их обществе. Это неправильно и несправедливо, но это так. Всякий раз, глядя на тебя, люди будут думать о том, кем ты был раньше, а не о том, кто ты сейчас.

Но Питер в это не верил. Он словно врос в мир своей невесты. Теперь это был и его мир. А та жизнь, в которой он вырос, уже казалась ему частью другой жизни в другой стране — чуждой и иностранной. Как будто он совершенно случайно родился в Висконсине или это вообще был не он, а Питер Хаскелл никогда туда и не приезжал. Даже Вьетнам теперь казался ему более реальным, чем его деревенское детство. Иногда ему было трудно поверить в то, что он провел там в общей сложности больше двадцати лет. Меньше чем за год Питер стал бизнесменом и жителем Нью-Йорка. Его семья по-прежнему была ему дорога, и он понимал, что так будет всегда. Однако мысль о том, что он всю жизнь мог проработать на молочной ферме, казалась ему кошмарной. Но, изо всех сил пытаясь убедить отца в том, что он делает правильный шаг, Питер так и не добился успеха. Старший Хаскелл был непоколебим в своих возражениях, и когда в конце концов он согласился приехать на свадьбу, это произошло скорее всего потому, что он просто устал спорить с сыном.

Однако отец не выполнил своего обещания и не приехал. За неделю до свадьбы он попал в аварию на тракторе и слег с поврежденной спиной и сломанной рукой, в то время как Мюриэл вот-вот должна была родить четвертого ребенка. Она приехать не могла, а ее муж Джек решил не оставлять ее ради путешествия в Нью-Йорк. Поначалу Питер чувствовал себя из-за этого очень несчастным, но потом, как и всегда в его новой жизни, водоворот бизнеса снова захватил его, заставив забыть о тяготах своих близких.

На медовый месяц они поехали в Европу, а потом долго никак не могли выбраться в Висконсин. У Кэти или у Фрэнка вечно были какие-то планы, требовавшие присутствия Питера. Несмотря на все их обещания и добрые намерения, в течение целого года Питер

так и не смог познакомить Кэти с отцом и сестрой.
Но он дал отцу слово, что приедет на Рождество, и
на этот раз его ничто не могло остановить. Он даже
Кэти не говорил об этом своем плане, думая ее уди-
вить. Вообще Питер начинал подозревать, что это
единственный способ выбраться туда.

Но когда перед самым Днем благодарения отец
Питера умер от сердечного приступа, его сына переполнили противоречивые эмоции. Он чувствовал вину,
скорбь и сожаление из-за всего того, что он не сделал, хотя и хотел. Получилось так, что Кэти так ни
разу и не увидела своего свекра.

Питер взял ее с собой на похороны. Эта унылая
процедура происходила под проливным дождем. Питер с женой стояли по одну сторону могилы, а рыда-
ющая Мюриэл, окруженная мужем и детьми, — по
другую. Контраст между жителями деревни и город-
скими щеголями был совершенно очевиден. Питер
был поражен тем, насколько он отдалился от своих
корней, как далеко отошел от родных после своего
отъезда, как мало у них теперь общего. Кэти явно
было неуютно рядом с родственниками своего мужа,
о чем она не преминула ему сообщить. И Мюриэл
была на удивление холодна с ней, хотя вообще-то ей

это было несвойственно. Когда Питер указал на это своей сестре, та неловко пробормотала, что Кэти совсем из другого мира. Будучи женой Питера, она даже не познакомилась с его отцом. Одетая в дорогое черное пальто и отделанную мехом шляпу, она, казалось, была очень раздражена тем, что ей пришлось приехать в такую глушь, и Мюриэл это заметила, окончательно расстроив своего брата. Они даже поссорились из-за этого, и в конце концов оба расплакались. Чтение завещания только усугубило и без того напряженную ситуацию. Отец оставил ферму Мюриэл и Джеку, и Кэти не смогла скрыть своего гнева в тот момент, когда адвокат закончил чтение последней воли покойного.

— Как он мог с тобой так поступить? — спрашивала она Питера, оказавшись с ним наедине в его старой спальне, где дощатый пол был застелен линолеумом, а стены покрыты потрескавшейся расписанной штукатуркой. Это мало напоминало дом, который Фрэнк купил им в Гринвиче. — Он же лишил тебя наследства!

Кэти была возмущена до глубины души, и Питер попытался как-то объяснить ей происшедшее. Он понимал это гораздо лучше своей жены.

— Это все, что у них есть, Кейт. Это жалкое, забытое Богом место. Здесь вся их жизнь. У меня есть карьера, хорошая работа, ты. Мне не нужна ферма. Я никогда не хотел владеть ею, и папа это знал.

Питер не считал это неуважением или несправедливостью. Он хотел, чтобы ферма досталась Мюриэл. Для них она значила все.

— Ты мог бы продать ее и разделить с ними деньги, чтобы они могли переехать в более симпатичное место, — оскорбленно ответила Кейт, заставив Питера еще раз убедиться в том, что она ничего не понимает.

— Они этого не хотят, милая, и скорее всего именно этого папа и боялся. Он не желал, чтобы мы продавали ферму. На то, чтобы купить ее, он потратил всю жизнь.

Кейт не стала ему говорить, каким бедствием, по ее мнению, это было, но ее мысли были написаны у нее на лице, и между супругами воцарилось молчание. Кейт считала, что ферма в еще худшем состоянии, чем выходило из рассказов Питера. Она почувствовала облегчение от сознания того, что они никогда больше сюда не вернутся. После того как

старый Хаскелл лишил своего сына наследства, ей
больше нечего было сказать. Кейт решила, что Висконсин стал частью отдаленного прошлого. Ей хотелось, чтобы Питер поскорее уехал отсюда.

Мюриэл все еще казалась очень расстроенной, когда они возвращались в Нью-Йорк, и у Питера возникло странное чувство, что он прощается не только
с отцом, но и с ней тоже. Кейт как будто только это
и было нужно, хотя она ни разу не сказала ему об
этом в открытую. Его жене словно хотелось, чтобы
он был связан только с ней, чтобы его корни и его
пристрастия, его верность и любовь — все принад-
лежало ей. Казалось, Кейт ревнует его к Мюриэл и к
тому куску его жизни, который она собой воплощает.
То, что Питер не получил свою долю в имуществе
отца, было хорошим поводом покончить с этим раз и
навсегда.

— Ты правильно сделал, что уехал отсюда несколько лет назад, — тихо сказала Кейт, когда они
ехали обратно. Она делала вид, что не замечает слез,
лившихся по щекам Питера. Ей хотелось только одного — добраться до Нью-Йорка как можно быстрее. — Питер, здесь тебя ничто не держит, — твердо
добавила она.

Он хотел было возразить жене, сказать ей, что она не права, но он знал, что это не так, что Кейт все правильно почувствовала, и теперь ему не оставалось ничего другого, как испытывать чувство вины. Он больше не принадлежал своей родине. Он никогда ей не принадлежал.

И когда в Чикаго они сели в самолет, он почувствовал облегчение, прокатившееся по его телу сладкой волной. Ему снова удалось сбежать. На каком-то глубинном душевном уровне он страшно боялся того, что отец оставит ферму ему и он будет вынужден управлять ею. Но отец оказался мудрее, чем думал Питер, и лучше него знал, что его сыну это не нужно. Родительская ферма больше не волновала Питера Хаскелла. Она ему не принадлежала и не могла его поглотить, чего он так страшился. Наконец-то он был свободен. Теперь это была головная боль для Джека и Мюриэл.

И когда самолет, оторвавшись от земли, взял курс на аэропорт Кеннеди, Питер вдруг понял, что сама ферма и все, что она собой символизировала, осталось позади. Оставалось надеяться только на то, что вместе со всем этим он не потерял и сестру.

Во время полета он молчал и в течение нескольких последовавших после этого недель так же молча оплакивал своего отца. Питер почти не делился своими переживаниями с Кейт, по большей части из-за того, что она, как ему казалось, не хочет этого слышать. Пару раз он позвонил Мюриэл, но она всегда была занята детьми или помогала Джеку по хозяйству. На разговоры у нее времени не хватало, но когда однажды она все-таки улучила минутку, Питеру совсем не понравилось то, что его сестра говорила про Кэти. Критические замечания Мюриэл в адрес его жены еще сильнее расширили пропасть между ними, и через некоторое время Питер перестал ей звонить. Он целиком погрузился в работу и нашел убежище в том, что происходило в его кабинете. Его дом был здесь. Вся его жизнь в Нью-Йорке казалась ему совершенной. Он идеально вписался в «Уилсон—Донован», в круг новых друзей, в общественную жизнь, которую вела Кейт. Как будто он родился здесь и ничего иного у него до этого не было.

Нью-йоркские друзья считали Питера своим. Он был интеллигентным и остроумным человеком, и окружающие смеялись над ним, когда он говорил, что вырос в деревне. В большинстве случаев ему просто никто не верил. Он был больше похож на бостонца или жителя Нью-Йорка. И у него очень хорошо получалось делать все то, что от него ожидали Донованы. Фрэнк настоял на том, чтобы они жили в Гринвиче, штат Коннектикут, как он сам. Он хотел, чтобы «его детка» была поближе к нему, да и сама Кэти к этому привыкла и не мыслила свою жизнь иначе. «Уилсон—Донован» размещалась в Нью-Йорке, и у молодых была там квартира, но вообще Донованы всегда жили в Гринвиче, в часе езды от Нью-Йорка. Питер быстро привык каждое утро вскакивать в поезд вместе с Фрэнком. Ему нравилось в Гринвиче, он полюбил их дом и свою жизнь с Кэти. В основном они прекрасно общались друг с другом, и единственным поводом для разногласий было то, что, по мнению Кейт, Питер должен был бы получить в наследство ферму и продать ее. Но они давно уже перестали спорить на эту тему, уважая суждения друг друга.

Была и еще одна вещь, которая причиняла Питеру беспокойство, — то, что Фрэнк купил им их первый дом. Питер пытался было возражать, но потом решил не расстраивать Кэти, которая умоляла его позволить ее отцу сделать это. В конце концов она победила. Кейт хотелось иметь большой дом, чтобы поскорее нарожать детей, а Питер, разумеется, не мог себе позволить купить жилище такого размера, к которому привыкла его богатая жена. Именно этого-то Питер так и боялся в свое время. Но Донованы провернули все это дело очень деликатно. Отец Кэти назвал уютный тюдоровский дом «свадебным подарком». Питеру он казался настоящим особняком. Достаточно большой, чтобы разместить в нем троих или четверых детей, с красивой крышей, столовой, гостиной, пятью спальнями, комнатой для игр, рабочим кабинетом и уютной кухней в деревенском стиле. Да, их новое жилище никак не могло сравниться с тем рассыпающимся старым домом в Висконсине, который отец Питера оставил его сестре. И Питер робко признавался сам себе, что он полюбил этот дом.

Кроме того, мистер Донован планировал нанять домработницу и кухарку, но тут Питер встал на дыбы и объявил, что сам будет стряпать, если понадобится, но не позволит Фрэнку оплачивать им прислугу. Постепенно Кэти сама научилась немного готовить, но когда подошло Рождество, она уже так страдала от токсикоза, что не могла ничего делать и основная работа по дому легла на плечи Питера. Его, впрочем, это совсем не раздражало — счастливый супруг с нетерпением ожидал появления первого ребенка. Надвигающееся событие казалось ему чем-то вроде некоего мистического обмена, особым утешением за утрату отца, которую он все еще в глубине души очень сильно переживал.

Для них обоих это было начало счастливых и плодотворных восемнадцати лет. За первых четыре года у них родились три сына, а после этого жизнь Кэти наполнилась самой разнообразной деятельностью — благотворительными комитетами, родительскими советами и прочим, — и ей это нравилось. Мальчики тоже занимались тысячей разных вещей — футболом, бейсболом, плаванием; через некоторое время Кэти вступила в совет директоров Гринвичской школы. Она была совершенно поглощена общественной жизнью и очень обеспокоена состоянием мировой экологии, а также другими материями, которыми Питер тоже хотел бы интересоваться, но не успевал. Он обычно говорил, что Кэти занимается глобальными проблемами за них обоих. Ему нужно было только одно — отдавать все свои силы работе.

Но и об этом его жена тоже очень много знала. Мать Кэти умерла, когда девочке было три года, и она с детства привыкла быть товарищем своему отцу. Став взрослой, она знала все о его бизнесе, и когда она вышла замуж за Питера, ситуация совершенно не изменилась. Временами Кейт узнавала какие-то внутренние новости компании еще раньше, чем Питер. А если он делился с ней теми или иными событиями, зачастую, к его удивлению, обнаруживалось, что для нее это давно не новость. Постепенно это начало создавать проблемы, но в принципе Питер охотно смирился с местом, которое в их жизни занимал Фрэнк. Взаимная связь отца и дочери оказалась гораздо крепче, чем он ожидал, но ничего плохого в этом не было. Фрэнк был справедливым человеком и всегда знал меру, высказывая свое мнение. Во всяком случае, Питер так думал, пока Фрэнк не попытался посоветовать ему, в какой детский садик отправить их сына. Тут уж Питер вежливо, но твердо заявил, что сам будет решать подобные вопросы, что и делал — или по крайней мере пытался, — пока его дети не окончили школу. Но бывали случаи, когда отец Кэти был совершенно непреклонен, и Питера особенно расстраивало, что его жена периодически встает на сторону Фрэнка, хотя она и пыталась быть дипломатичной.

Тем не менее привязанность Кэти к отцу с годами становилась все сильнее, и она соглашалась с ним

гораздо чаще, чем этого хотелось бы Питеру. Это
был единственный повод для жалоб в их в общем-то
счастливом браке. В его жизни было столько радости, что он не чувствовал себя вправе страдать из-за
периодических схваток с Фрэнком за власть. Анали-
зируя свою жизнь, Питер понимал, что радости с
лихвой перевешивали боль или невзгоды.

Единственным событием, опечалившим его всерьез, была смерть сестры. Как и их мать, она умерла
от рака, только в гораздо более раннем возрасте: Мюриэл было всего двадцать девять лет. Она тоже не
имела возможности лечиться. Они с мужем отлича-
лись особой гордостью бедняков и не звонили ему во
время ее болезни. Когда Джек наконец связался с
ним, Мюриэл была уже на смертном одре, и Питер с
сокрушенным сердцем примчался в Висконсин. Через несколько дней она умерла. Не прошло и года,
как Джек продал ферму, женился вторично и переехал в Монтану. В течение нескольких лет Питер
ничего не знал о том, где он поселился и что случилось с детьми его сестры. А когда наконец Джек
объявился, Кейт сказала, что слишком много воды
утекло и что он должен забыть о его существовании.
Питер послал Джеку деньги, ради которых тот и зво-

нил, но так и не выбрался в Монтану, чтобы повидать детей Мюриэл. Он понимал, что они его не узнают. У них была новая мама, новая семья, и Питер знал, что Джек позвонил ему только потому, что ему нужны были деньги. У него никогда не было особой привязанности к брату его покойной жены, как, впрочем, и у Питера к нему, хотя Питеру хотелось бы общаться со своими племянницами и племянниками. Но он был слишком занят и не смог выбрать время для поездки в Монтану. Они стали для него частью другой жизни. В какой-то степени было проще последовать совету Кейт и пустить все на самотек, хотя у Питера возникало чувство вины всякий раз, когда он вспоминал об этом.

У Питера была своя жизнь, своя семья, и ему было о чем заботиться и что защищать — и за что бороться. И первая серьезная битва разразилась тогда, когда их старший сын Майк должен был перейти в старшие классы. Несколько поколений Донованов учились в Эндоверском интернате, и Фрэнк считал, что Майк должен поступить туда же, а Кэти с ним соглашалась. Но Питер был против. Он хотел, чтобы мальчик жил дома с родителями до поступления в колледж. Однако на этот раз победил Фрэнк. Решающее слово оставалось за самим Майком, которого мать и дедушка убедили в том, что, если он не поедет в Эндовер, ему никогда не удастся попасть в приличный колледж, не говоря уже о бизнес-школе, и он упустит возможность найти в будущем достойную работу и приобрести нужные связи. Питеру это казалось смешным. В качестве аргумента он говорил, что окончил Мичиганский университет, вечернюю школу в Чикаго, никогда не учился в бизнес-школе и ни разу не слышал об Эндовере, когда рос на ферме в Висконсине. «И я всего добился», — сказал он с улыбкой. И действительно, он управлял одной из крупнейших корпораций страны. Но Питер был совершенно не готов к тому, чтобы услышать ответ Майка:

— Но ты же женился на этом, папа. Это совсем другое дело.

В глазах Питера Майк мог без труда прочитать, какую боль он причинил отцу. Мальчик быстро поправился, говоря, что ничего такого в виду не имел и что двадцать лет назад все было «по-другому». Но оба понимали, что Майк прав. И в конце концов он отправился в Эндовер, а теперь, подобно дедушке, готовился к поступлению в Принстон. Пол тоже учился

в Эндовере, и только Патрик, самый младший, пого-
варивал о том, чтобы доучиваться дома или поехать в
Экзетер, — только для того, чтобы не повторять
путь своих братьев. На раздумья у него оставался
еще год, и периодически он изъявлял желание учиться в интернате в Калифорнии. Питер хотел что-то
изменить в этой ситуации, но понимал, что не может
ничего поделать. Оканчивать школу вне дома было
традицией Донованов, и тут нечего было обсуждать.
Даже Кейт, несмотря на свою близость к отцу, училась у мисс Портер. Питер бы предпочел, чтобы дети
были дома, но в принципе, по его словам, это была
небольшая жертва — он не общался с ними в течение нескольких месяцев в году, зато они получали
великолепное образование. Никаких возражений тут
быть не могло, и Фрэнк говорил, что они завязывают
там важные знакомства, которые пригодятся им в
течение всей их жизни. С этим было трудно спорить,
да Питер и не пытался. Но когда сыновья ежегодно
разъезжались кто куда, ему было очень одиноко. Кэти
и мальчики — вот все, что у него было. И он все
еще очень тосковал по Мюриэл и родителям, хотя
никогда и не признавался в этом Кэти.

За эти годы жизнь Питера заметно изменилась. Он стал важным человеком, сделал блестящую карьеру. Со временем они переехали в более просторный дом в Гринвиче, который Питер приобрел уже на свои деньги. На этот раз проблемы принятия подарка от Фрэнка даже не стояло. Это был красивый дом с участком в шесть акров, и хотя жизнь в городе иногда казалась Питеру очень привлекательной, он знал, насколько важно для его жены оставаться там, где она родилась. Кейт провела в Гринвиче всю свою жизнь. Здесь были ее друзья, хорошая начальная школа для детей, комитеты, которые отнимали у нее столько времени, и ее отец. Ей нравилось жить поблизости от него. Кейт по-прежнему присматривала за его домом, а по выходным они с Питером часто приходили к нему, чтобы обсудить семейные дела, бизнес или просто поиграть в теннис. Кэти достаточно часто виделась с отцом.

Летом они ездили отдыхать в одно и то же место — Мартас-Виньярд, где у Фрэнка уже много лет было внушительных размеров поместье. Дом Хаскеллов был гораздо меньше, но Питеру пришлось согласиться с Кейт, что это прекрасное место отдыха для детей, да и ему самому там тоже очень нравилось. Как только он смог себе позволить купить там дачу, он убедил жену отказаться от коттеджа на участке отца и приобрел уютный домик всего в нескольких минутах ходьбы от жилища Фрэнка. Потом Питер построил для сыновей маленький летний домик, где они могли принимать своих друзей, что они с удовольствием и делали. В течение многих лет Питер и Кейт были окружены детьми, особенно во время летнего отдыха. В их доме постоянно вертелись пять-шесть мальчишек, помимо их собственных сыновей.

Они вели налаженную и легкую жизнь, и, несмотря на компромиссы по поводу выбора места жительства и обучения детей, к которым его время от времени принуждала жена, Питер знал, что он ни разу не принес в жертву свой принцип цельности. Что же касалось бизнеса, Фрэнк дал ему полный карт-бланш. Питер так и выстреливал из себя блестящие идеи, которые помогали улучшить дела фирмы. С его помощью компания разрослась до пределов, о которых Фрэнк не мог даже мечтать. Предложения Питера были воистину бесценными, решения — твердыми, но надежными. Фрэнк прекрасно сознавал, что делает, и когда только вводил его в компанию, и когда в возрасте тридцати семи лет сделал его президентом

«Уилсон—Донован». И с самого начала своей деятельности на новом посту Питер управлял компанией
мастерски. С того момента прошло уже семь лет, из
которых четыре было потрачено на разработку «Викотека» — исключительно дорогого проекта. Но игра,
безусловно, стоила свеч. Для Питера это было нечто
вроде четвертого ребенка, он сам принял решение о
финансировании научных изысканий и убедил Фрэнка поддержать его. Требовалось огромное вложение
капитала, которое сможет окупиться только через много
лет; тем не менее оба они были согласны с тем, что
дело стоит таких затрат. А для Питера это было
особенно важно и по другой причине. «Викотек» должен был стать кульминацией мечты всей его жизни — помочь человечеству, сочетая гуманизм с
выгодой и деловой хваткой. В память о своей матери
и Мюриэл Питер хотел, чтобы «Викотек» был запу-
щен в производство как можно быстрее. Если бы
этот препарат был им доступен, можно было бы спасти — или хотя бы продлить — их жизни. А теперь он хотел спасти им подобных — тех, кому еще
можно было помочь. Людей, живущих на фермах и в
деревнях, или даже городских жителей — тех, кто

из-за бедности и других обстоятельств не мог позволить себе дорогостоящего лечения.

Сидя в такси, Питер в который раз погрузился в размышления на эту тему и сразу вспомнил те встречи, которые он уже провел в Европе. Сознание того, как близко воплощение его мечты, было ему наградой. И когда на горизонте появился стремительно приближающийся Париж, ему, как обычно, стало жаль, что Кэти не поехала с ним.

Париж казался Питеру безупречным городом. У него всегда перехватывало дыхание, когда он оказывался здесь. В столице Франции было нечто такое, что заставляло его сердце бешено колотиться. В первый раз он приехал сюда по делам фирмы пятнадцать лет назад, и тогда ему показалось, что он словно попал на другую планету. Один, в незнакомом городе, во время национального праздника... Питер прекрасно помнил, как он ехал по Елисейским полям по направлению к Триумфальной арке, над которой гордо и величественно развевался французский флаг. Он остановил машину, вышел и вдруг со смущением осознал, что плачет.

Кэти всегда посмеивалась над ним, говоря, что в прошлой жизни он, наверное, был французом, раз так любит Париж. Это место значило для него очень много, хотя он никогда и не понимал почему. В нем было нечто невероятно красивое и властное. Здесь его всегда сопровождала удача. И Питер знал, что и на этот раз все повторится. Несмотря на свойственную Полю-Луи Сушару неразговорчивость, он понимал, что его завтрашняя встреча с французским коллегой будет триумфальной — как арка на Елисейских полях.

Такси пробиралось через дневную пробку, и Питер провожал взглядом знакомые достопримечательности — Дом инвалидов, «Гранд-Опера», Вандомскую площадь. Ему казалось, что он приехал домой. Посередине площади стояла статуя Наполеона; немного воображения — и можно было без труда представить себе сидящих в экипажах французских аристократов в белых париках и атласных штанах, окруженных гарцующими стражниками в мундирах. Питер улыбнулся этой несколько абсурдной картинке, и тут такси затормозило перед отелем «Ритц», и швейцар подбежал к нему, чтобы открыть дверь. Он узнал Питера — так же, впрочем, как он «узнавал» всех приезжающих — и, пока тот расплачивался с таксистом, сделал знак носильщику взять единственный чемодан Питера.

Фасад «Ритца» был на удивление скромным; распознать отель можно было только по маленькому тенту, который выглядел точно так же, как тенты разбросанных тут и там магазинчиков. Сверкающие витрины «Шомэ» и «Бушерона» были совсем рядом, до «Шанель» было рукой подать, так же как и до «Дж. А. Р.», ювелирной фирмы, названной так в честь основателя — Джоэля А. Розенталя. Но одним из самых важных элементов Вандомской площади был отель «Ритц», и Питер всегда говорил, что ничто в мире не могло с ним сравниться. Воплощение декадентской роскоши, отель предлагал своим постояльцам неограниченные удобства. Питер всегда чувствовал себя немного виноватым из-за того, что останавливался здесь в своих деловых поездках, но за много лет он привязался к этому месту настолько сильно, что и подумать не мог о другом отеле. В конце концов, имел же он право допустить элемент фантазии в свою жизнь, во всем остальном абсолютно сознательную и подчиненную строгому порядку? Питер любил его утонченность и элегантность, изысканно обставленные комнаты, роскошь парчовой об-

шивки на стенах, изумительные камины в антиквар-
ном стиле. И стоило ему вступить под своды отеля,
как он почувствовал знакомую волну восхищения.

Отель «Ритц» никогда не разочаровывал его. Подобно красивой женщине, которую посещаешь только время от времени и которая всякий раз ждет тебя
с распростертыми объятиями — безукоризненно при-
чесанная и накрашенная, еще более обворожительная,
чем во время последней встречи.

Питер любил «Ритц» почти так же, как и сам
Париж. Отель был частью волшебства и очарования
города. Стоило гостю из Америки войти в вестибюль, как навстречу ему двинулся консьерж в ливрее.
Поздоровавшись с ним, Питер подошел к портье.
Даже ждать у стойки было удовольствием. Слева стоял
пожилой и элегантный джентльмен из Латинской Америки в сопровождении потрясающей красоты молодой женщины в красном платье. Они тихо беседовали
по-испански. Ее волосы и ногти были безупречны, и
Питер обратил внимание на то, что на левой руке у
нее был огромных размеров бриллиант. Женщина
взглянула на Питера и улыбнулась. Он был удивительно привлекательным мужчиной, и ничто в его
поведении не могло навести на мысль о его деревен-

ском происхождении. Питер выглядел именно так,
как должен был выглядеть богатый, могущественный
человек, вращавшийся в высшем свете и управляв-
ший деловой империей. Все в Питере подчеркивало
его власть и значительность, но при этом он был
обаятелен, мягок и моложав и вообще очень хорошо
выглядел. Пристально всмотревшись в него, можно
было бы заметить в его взгляде что-то загадочное.
Мягкость и доброту не так-то легко встретить в силь-
ных мира сего. Но женщина в красном этого не видела. Она заметила только галстук от «Эрме», сильные
ухоженные руки, чемоданчик, английские туфли, хорошо сшитый костюм. Окинув его оценивающим взглядом, она с некоторой неохотой повернулась к своему
спутнику.

Посмотрев в другую сторону, Питер увидел трех
пожилых японцев, одетых в безупречные темные ко-
стюмы. Они курили и что-то оживленно обсуждали.
В стороне стоял их более молодой спутник, консьерж
за стойкой разговаривал с ними по-японски. Отвернувшись от них, Питер, все еще ожидавший своей
очереди, вдруг заметил какую-то суету около дверей.
В вестибюле появились четверо темнокожих мужчин
очень властного вида, за ними следовали еще двое, а

потом вертящаяся дверь выбросила трех очарователь-
ных женщин в ярких костюмах от Диора. По сути
дела, это были варианты одного костюма, только разных цветов. Подобно его латиноамериканской сосед-
ке, все женщины были одеты и причесаны с большим
вкусом, носили на шее и в ушах бриллианты и все
вместе производили поистине неотразимое впечатление. Шестеро телохранителей окружили их, и в дверях показался немолодой величественный араб.

— Король Халед... — услышал Питер за спиной чей-то шепот, — ...или его брат со своими тремя
женами. Они живут здесь уже месяц и занимают
целый этаж — четвертый, выходящий в зимний сад.

Это был правитель небольшой арабской страны, и
пока он со свитой проходил мимо, Питер насчитал
восемь телохранителей и еще несколько сопровождаю-
щих. К ним немедленно ринулся один из консьер-
жей, и, провожаемая взглядами находившихся в
вестибюле людей, живописная группа удалилась. Так
что Катрин Денев, быстро проследовавшую в ресторан, почти никто не заметил, так же как и Клинта
Иствуда, снимавшегося в каком-то фильме под Парижем. Подобные лица и имена были не в новинку в
«Ритце», и Питер спросил себя, достаточно ли он

пресытился такой жизнью, чтобы так легко игнорировать знаменитостей. Но просто находиться здесь, наблюдать за всеми ними всегда доставляло ему такое удовольствие, что он не мог заставить себя смотреть в сторону или напускать на себя равнодушный вид, как это делали некоторые обитатели отеля. Не отрываясь смотрел он на арабского короля и стайку его прелестных спутниц. Женщины тихо разговаривали и смеялись, а телохранители внимательно присматривали за своими подопечными, не позволяя кому бы то ни было приблизиться к ним. Они окружали их подобно каменным статуям, пока король медленно шел вперед, разговаривая с кем-то. В этот момент Питер услышал голос за своей спиной и обернулся, вздрогнув от неожиданности.

— Добрый день, мистер Хаскелл. Добро пожаловать в Париж! Мы очень рады снова вас видеть!

— И я тоже очень рад, что приехал сюда, — улыбнувшись, сказал Питер молодому портье, которому было поручено обслужить его. Для него приготовили номер на третьем этаже. По мнению Питера, в «Ритце» не могло быть плохих номеров. Куда бы его ни поселили, он будет счастлив.

— У вас все как обычно, — сказал он, имея в виду арабского короля и маленькую армию его телохранителей. Впрочем, эта гостиница всегда была наполнена подобными людьми.

— Comme d'habitude... как всегда... — Портье улыбнулся и протянул Питеру бланк, который он заполнил. — Пойдемте, я покажу вам вашу комнату.

Проверив паспорт вновь прибывшего гостя, портье сообщил номер комнаты одному из носильщиков и дал Питеру знак следовать за ним.

Они прошли через бар и ресторан, полный прекрасно одетых людей, которые приходили сюда, чтобы пообедать, провести деловые встречи или обсудить нечто более интригующее. Теперь-то Питер заметил красавицу Денев, со смехом беседовавшую с каким-то мужчиной за угловым столиком. Это он и любил в «Ритце» — знакомые лица людей, населявших его. Пройдя по длинному коридору вдоль многочисленных витрин бутиков с самыми дорогими товарами от лучших модельеров и ювелиров Парижа, они достигли лифта. Питер мельком заметил золотой браслет, который мог бы понравиться Кэти, и подумал, что вернется сюда и купит его. Он всегда привозил жене всякие мелочи из своих путешествий в качестве утешительного приза за то, что она с ним не поехала. Раньше, когда она была беременна, кормила детей или возилась с ними, Питер тоже заваливал ее подарками. Теперь же она просто не хотела ездить с ним, и Питер это знал. Ей вполне хватало собраний комитетов и встреч с подругами. Старшие дети учились в интернате, дома оставался только младший, так что она не была слишком загружена. Тем не менее Кейт всегда находила какую-нибудь причину, чтобы отказаться от поездки, и Питер решил больше на нее не давить. Но он все равно привозил ей подарки — и мальчикам тоже, если они были дома.

Наконец они сели в лифт. Араба нигде не было видно — видимо, он уже унесся наверх, в свою дюжину комнат. Он часто приезжал сюда — у его жен вошло в привычку проводить май и июнь в Париже, а иногда оставаться до июля. И зимой они тоже обычно приезжали сюда.

— Тепло у вас в этом году, — сказал Питер, чтобы сгладить паузу в ожидании лифта.

Снаружи стояла великолепная погода, жаркая и успокаивающая нервы. В такой день нужно было лежать под деревом где-нибудь на опушке и смотреть в небо на клубящиеся облака. Заниматься делами сегодня было кощунством. Но Питер в любом случае намерен был позвонить Полю-Луи Сушару, чтобы выяснить, может ли он встретиться с ним раньше назначенного времени.

— Всю неделю стоит жара, — охотно откликнулся портье.

Казалось, у всех кругом было отменное настроение из-за наступившего тепла. Поскольку во всех помещениях отеля стояли кондиционеры, от духоты никто не страдал.

Мимо них прошла американка с тремя йоркширскими терьерами, и мужчины улыбнулись. Собаки были разодеты в пух и прах и украшены бантиками, так что Питеру и портье ничего не оставалось, как обменяться насмешливыми взглядами.

И вдруг за его спиной возникло какое-то движение, и Питер ощутил, что сама атмосфера словно наэлектризовалась. Даже женщина с собаками с удивлением подняла глаза. Что это — снова араб со своими телохранителями или какая-нибудь кинозвезда? Оглянувшись, он увидел нескольких мужчин в темных костюмах, которые шли в их сторону. Кого они закрывали собой — а то, что они телохранители, можно было понять по их рациям, — видно не было. Если бы не было так жарко, они, наверное, надели бы плащи.

Почти в ногу они подошли к тому месту, где стояли Питер и портье, и в образовавшемся просвете Питер увидел горстку мужчин в светлых летних костюмах, которых и охраняли вышколенные стражи. У них был вид американцев, один из них был выше остальных. Он действительно был похож на кинозвезду, и его взгляд почему-то притягивал людей. Окружавшая его свита, казалось, ловила каждое его слово и с готовностью смеялась, когда он шутил.

Питер всерьез заинтересовался этим человеком и принялся напряженно его разглядывать, уверенный, что он где-то его видел. Внезапно он вспомнил, что это был сенатор из Виргинии Эндерсен Тэтчер, очень неоднозначный и динамичный политик. Ему было сорок восемь лет, несколько раз его коснулись обычные для таких людей скандалы, но угрожавшая его карьере молва всякий раз быстро рассеивалась. Более того — его имя было связано с серьезными трагедиями. Его брат Том шесть лет назад баллотировался в президенты и был убит перед самыми выборами. Он был самым перспективным кандидатом, и у следствия возникло множество версий по поводу того, кто мог это сделать; про его гибель даже было снято два очень плохих фильма. Но в конце концов оказалось, что его застрелил одинокий сумасшедший. В течение последующих лет Эндерсен Тэтчер, или Энди, как его называли приверженцы, стал видным политиком, поднялся вверх по шаткой лестнице рейтинга, приобретая как друзей, так и врагов, и теперь был серьезным претендентом на пост президента страны. Он еще не объявил о своем желании баллотироваться, но знающие люди говорили, что он сделает это с недели на неделю. В последнее время Питер внимательно следил за ним. Несмотря на некоторые малоприятные подробности его личной жизни, о которых ему приходилось слышать, он был достаточно интересным кандидатом на следующий срок. И, с некоторой долей восхищения глядя на этого окруженного советниками и телохранителями человека, Питер подумал, что в нем определенно есть какая-то харизма.

Во второй раз сенатора постигла трагедия, когда его двухлетний сын умер от рака. Об этом Питер знал меньше, но хорошо запомнил душераздирающие фоторепортажи с похорон в «Тайм». На одной из фотографий была запечатлена его жена, которая шла с кладбища в одиночестве, — ее муж поддерживал под руку собственную мать. Боль, застывшая на лице молодой женщины, навсегда отпечаталась в памяти Питера. Пережитое ими горе окончательно расположило сердца людей к Тэтчеру.

Лифт так и не пришел; группа телохранителей подалась немного в сторону, и только в этот момент Питер заметил еще одного человека — ту женщину с фотографии, чье лицо ему так запомнилось. Ее глаза были опущены, она производила впечатление невероятной утонченности. Маленькая, хрупкая, словно готовая вот-вот улететь, очень худая, с огромными глазами... В ней было что-то, что заставляло разглядывать ее с восхищением. В небесно-голубом костюме от Шанель, она казалась чрезвычайно мягкой и самодостаточной. Никто из свиты ее мужа, казалось, не замечал ее, даже телохранители; она тихо стояла за их спинами, ожидая лифта. Женщина подняла глаза на рассматривавшего ее Питера, и их взгляды встретились. Он подумал, что никогда еще не видел таких печальных глаз; тем не менее ничего патетичного в ней не было. Жена сенатора была одета очень просто. Когда она убрала в свою сумочку темные очки, Питер заметил, какие у нее тонкие и изящные руки.

Даже когда лифт приехал, никто из окружавших ее мужчин не заговорил с ней и не обратил на нее внимания. Все они рванулись в лифт, и женщине ничего не оставалось, как тихо войти туда вслед за ними. Несмотря на все это, в ней словно сверкало чувство собственного достоинства; она жила в своем мире и была леди до кончиков ногтей.

Питер восторженно разглядывал ее, прекрасно сознавая, кто это. Ему не раз попадались ее фотографии — более счастливых времен, когда она только вышла замуж, и даже раньше, с ее отцом. Это была Оливия Дуглас Тэтчер, жена Энди Тэтчера. Как и ее супруг, она родилась в семье политиков. Ее отец был губернатором Массачусетса, пользовавшимся в своем штате большим уважением, а брат — младшим конгрессменом от Бостона. Кажется, ей было около тридцати четырех лет; она была одной из тех, кого преследует пресса, не оставляя в одиночестве ни на секунду, хотя она никогда и не давала повода интересоваться ею. Разумеется, Питер не раз читал интервью с Энди, но не мог вспомнить ни одной беседы с Оливией Тэтчер. Казалось, она стремится оставаться на заднем плане. Завороженный ее обликом, Питер вошел в лифт вслед за ней. Оливия сто-

яла, повернувшись к нему спиной, но так близко, что
он мог бы без труда обнять ее. Одна мысль об этом
заставила его вздрогнуть. У Оливии были очень кра-
сивые волосы — темно-русые с отливом. Словно
почувствовав, что Питер думает о ней, она повернулась и посмотрела на него, и когда их глаза снова
встретились — всего лишь на мгновение, — ему
показалось, что время остановилось. Печаль в ее взгляде снова поразила его; она словно бы говорила ему о
чем-то, не произнося ни слова. Это были самые вы-
разительные глаза, которые он когда-либо видел, а
потом Питер внезапно спросил себя, не выдумал ли
он все это. Так же неожиданно Оливия отвернулась
и больше не смотрела на него, пока он не вышел из
лифта, потрясенный и взволнованный.

Портье уже отнес его чемодан в номер, а горнич-
ная осмотрела комнату, чтобы проверить, все ли готово. Питер вошел внутрь, чувствуя себя так, как
будто он умер и вознесся на небеса. Стены были
оклеены тканью цвета персика, мебель — антиквар-
ная, камин — из абрикосового мрамора. Окно и кровать были убраны шелком и атласом подходящих
оттенков. В номере была мраморная ванна и все не-
обходимое для усталого путника. Это выглядело как

ожившая мечта, и Питер, провалившись в удобное кресло, обитое атласом, посмотрел в окно на безупречно ухоженный сад. Да, это было само совершенство.

Дав на чай портье, Питер медленно обошел свой номер и облокотился о подоконник, наслаждаясь видом цветущего сада и думая об Оливии Тэтчер. В ее лице и глазах было что-то пленительное; такое впечатление сложилось у него еще от ее фотографий, но сейчас, после этого обмена взглядами, он понял, что никогда не видел в глазах женщины такой духовной мощи, такой боли — и одновременно силы. Словно она хотела сказать ему — или любому, кто заглядывал ей в глаза, — что-то очень важное. Она была гораздо сильнее и неотразимее своего мужа — в своем роде, разумеется. Питер не мог избавиться от мысли о том, что она не похожа на человека, который будет вести какую-нибудь политическую игру. И действительно, она этого никогда не делала, насколько он знал; даже сейчас, когда ее муж вот-вот должен был стать кандидатом в президенты.

Интересно, какие тайны скрывает она под непроницаемой пеленой своего взгляда? Или он все это придумал? Может быть, никакая она не печальная, а просто очень спокойная? В конце концов, никто с ней не разговаривал. Но почему она на него так посмотрела? О чем она думала?

Все эти мысли преследовали его, когда он умывался и набирал номер Сушара. Ему не терпелось встретиться с ним. Было воскресенье, и Сушар без особого энтузиазма отнесся к этой неожиданной перемене планов. Тем не менее он согласился встретиться с Питером через час. Питер стал нетерпеливо мерить шагами свой номер, позвонил Кейт, но ее, разумеется, дома не оказалось. В Америке было только девять часов утра, и Питер решил, что она гуляет или встречается с друзьями. После девяти и до половины шестого Кейт трудно было застать. Она всегда была занята. Теперь, когда у нее прибавилось еще несколько видов деятельности, когда она была членом совета школы, а дома жил только один из сыновей, она задерживалась все чаще.

Наконец час прошел, и Питер с радостным нетерпением устремился на встречу с Сушаром. Этого момента он ждал много лет. «Зеленая улица», которая позволит ему двинуть «Викотек» вперед. Он знал, что это всего лишь формальность, но формальность важная — более того, необходимая для ускорения процедуры одобрения препарата ФДА. Сушар был наиболее знающим и уважаемым человеком среди глав всех исследовательских команд и отделов фирмы. Его голос в пользу «Викотека» перевесит множество голосов других людей.

На этот раз лифт приехал гораздо быстрее, и Питер скорым шагом вошел в него. На нем был тот же темный костюм, но рубашку он сменил на свежую — голубую, с белыми манжетами и воротничком. Он выглядел безупречно. Спустя мгновение Питер увидел в углу лифта тоненькую фигурку. Это была женщина в черных льняных брюках и черном джемпере. На ней были темные очки. Волосы были зачесаны назад. Когда она повернулась и взглянула на него, Питер понял, что это Оливия Тэтчер.

После того как он в течение нескольких лет периодически читал о ней, он вдруг в течение часа дважды увидел ее. На этот раз она выглядела совсем иначе — еще тоньше и моложе, чем в костюме от Шанель. На мгновение Оливия сняла очки и взглянула на него. Питер был уверен в том, что она тоже его узнала; но никто из них не сказал ни слова, и он даже попытался не смотреть на нее. Однако в этой женщине было что-то такое, что притягивало его. Питер не мог понять, в чем дело. Глаза, конечно же, но не только. В том, как она двигалась и смотрела, были отзвуки всего того, что он о ней слышал. Оливия казалась очень гордой, очень уверенной в себе, спокойной и замкнутой. И Питер вдруг поймал себя на желании подойти к ней и задать ей тысячу глупейших вопросов, таких, какие обычно задают журналисты. «Почему вы выглядите такой уверенной? Такой далекой? Но и такой печальной. Вам грустно, миссис Тэтчер? Что вы чувствовали, когда умер ваш мальчик?» Именно такими вопросами ее всегда мучили, и она никогда не отвечала на них. Глядя на нее, Питер понял, что хочет услышать эти ответы, подойти к ней, дотронуться до нее, узнать, что она чувствует, почему от ее глаз к его глазам протянулись лучики понимания, словно она вложила свои ладони в его. Он хотел знать, какая она, хотя и понимал, что этого никогда не произойдет. Они были обречены на то, чтобы остаться чужими людьми, не сказав друг другу ни единого слова.

У Питера перехватывало дыхание от одного того, что она рядом. Он чувствовал аромат ее духов, видел, как свет отражается от ее волос, ощущал мягкость ее кожи. Наконец, к его облегчению — потому что он не мог заставить себя отвести от нее взгляд, —

лифт приехал на первый этаж, и дверь отворилась. Ее ждал телохранитель. Оливия ничего не сказала, просто вышла из лифта и проследовала вперед в сопровождении широкоплечего стража. «Какая у нее странная жизнь!» — подумал Питер, провожая ее взглядом. Казалось, его притягивает к ней магнитом; ему пришлось напомнить себе, что у него дела, не оставляющие времени для мальчишеских фантазий. Но ему было совершенно очевидно, что в этой женщине было нечто волшебное; теперь он понимал, почему она превратилась в своего рода живую легенду. Более того — она была загадочна. Людей такого типа никогда не знаешь до конца, хотя и очень хочешь узнать. «Интересно, — подумал Питер, выходя на залитую солнцем площадь и ожидая, пока швейцар поймает ему такси, — а знает ли ее вообще кто-нибудь?» Из окна машины он увидел, как она свернула за угол и поспешила по рю де ла Пэ, опустив голову и надев темные очки. Телохранитель шел рядом. Питер невольно спросил себя, куда это она направилась. А потом, заставив себя отвлечься от заворожившей его женщины, он устремил свой взгляд вперед, на парижские улицы, разворачивавшиеся перед ним одна за другой.

Глава 2

Встреча с Сушаром была короткой и насыщенной, как и ожидал Питер. Однако оказалось, что он совершенно не готов услышать то, что Поль-Луи сказал об их продукте. Он даже предвидеть не мог, какой вердикт тот вынесет. По его словам, результаты всех проведенных испытаний, кроме одного, позволяли заключить, что «Викотек» может быть потенциально опасным, даже смертельным, в случае неправильного использования или хранения. Но если, несмотря на все изъяны, выявленные в ходе тестирования, его все же можно было применять, все равно требовались долгие годы доработки. Препарат не был также готов к испытаниям на людях, которые Питеру так хотелось начать.

Слушавший все это Питер уставился на своего собеседника в полном недоумении. Он не мог поверить в то, что ему говорили, даже в страшном сне не мог вообразить такую интерпретацию их продукта. Кроме того, Питеру были известны некоторые тонкости, касавшиеся химического состава препарата, которые позволили ему задать Сушару несколько очень конкретных и дельных вопросов. Сушар смог ответить только на некоторые из них, но в целом он чувствовал, что «Викотек» опасен и что от его дальнейшей разработки следует отказаться. Если же фирма Питера все же желает рискнуть и заниматься «Викотеком» еще несколько лет, от части проблем, конечно же, можно будет избавиться, но все равно никаких гарантий того, что он получит допуск к использованию, то есть будет полезным и безопасным одновременно, быть не могло. А если ученые не будут стремиться устранить эти недостатки, препарат неизбежно станет лекарством-убийцей. Питеру казалось, что его ударили под дых.

— Вы уверены в том, что ваше оборудование функционирует безупречно, Поль-Луи? — в отчая-

3*

нии спросил он, уповая на то, что в их системах тестирования был какой-то сбой.

— Почти уверен, что все в порядке, — с сильным акцентом ответил по-английски Сушар.

Питер пришел в ужас. Поль-Луи выглядел угрюмым, но это была особенность его натуры. Как правило, именно он отыскивал недостатки в их продукции, именно он был приносящим плохие вести. Таково было его призвание.

— Один тест мы еще не завершили, — продолжал Сушар. — Он может повлиять на некоторые результаты, но в целом ничего не изменит.

Он объяснил, что этот незаконченный тест может свидетельствовать о том, что для проведения дополнительных испытаний препарата потребуется меньше времени, чем он предполагал сейчас, но все равно они займут несколько лет, а не месяцев и недель, то есть в промежуток времени, оставшийся до слушаний в ФДА, «Уилсон—Донован» явно не уложится.

— Когда эти испытания будут завершены? — спросил Питер, чувствуя, как кружится у него голова. Он не верил собственным ушам. Казалось, это был самый плохой день в его жизни. Даже во Вьетнаме ему не было так тяжело.

— Нам нужно еще несколько дней, но я уверен в том, что этот тест — всего лишь формальность. Я думаю, мы уже знаем, что может, а чего не может «Викотек». Мы прекрасно осведомлены о большинстве его слабых мест.

— Как вы считаете: положение можно исправить? — дрожащим голосом спросил Питер.

— Я лично в это верю... но некоторые из моих помощников думают иначе. Они считают, что он все равно останется очень опасным и в руках недостаточно хорошо подготовленного врача его применение может привести к очень серьезным последствиям. И еще одно можно сказать с полной уверенностью — он не будет делать того, чего вы от него ждете. Сейчас по крайней мере. И возможно, никогда.

Питер и его команда хотели разработать препарат для проведения химиотерапии, который было бы легче назначать и применять, даже для лежачих больных, в отдаленных районах сельской местности, где трудно получить квалифицированную медицинскую помощь. Но если верить тому, что говорил Поль-Луи, это было невозможно. Даже суровому французу было жаль своего собеседника, когда он смотрел на его вытянувшееся лицо. Казалось, Питер Хаскелл только что потерял свою семью и всех своих друзей. Лишь сейчас он начал понимать, какой вал сложностей это за собой повлечет.

— Мне очень жаль, — тихо добавил Сушар. — Я думаю, что со временем вы выиграете эту битву, но пока вы должны проявить терпение.

Питер почувствовал, как на глаза его наворачиваются слезы. Как близко они подошли к своей цели и как далеко от нее были! Это были не те ответы, которых он ожидал. Он-то думал, что их встреча будет чистой формальностью, а она вместо этого превратилась в кошмар.

— Когда у вас будут на руках результаты тестов, Поль-Луи? — Питеру было страшно возвращаться в Нью-Йорк к Фрэнку с этими известиями, особенно если информация будет неполной.

— Два-три дня, может быть, четыре. Я не могу вам сказать точно. Но к концу недели вы, безусловно, все получите.

— И если результаты окажутся хорошими, вы все равно не измените своей нынешней позиции? — Питер готов был его умолять, только бы получить хоть немного позитивной информации. Он прекрасно знал о том, насколько консервативен Сушар; может быть, он и в этот раз просто осторожничает. Трудно было понять, почему результаты его тестов настолько отличаются от всего того, что говорили другие эксперты. Хотя до этого он никогда не ошибался... Не поверить ему было невозможно. По крайней мере игнорировать мнение Сушара было нельзя.

— Частично, только частично, не полностью, — ответил Сушар. — Возможно, если окончательные результаты будут положительными, вам потребуется только год дополнительной работы.

— А может, полгода? Если мы задействуем все наши лаборатории и сосредоточим на «Викотеке» все наши исследовательские возможности? — В данном случае цель стоила любых средств. Хотя для Фрэнка Донована имела значение только прибыль.

— Может быть. В таком случае вы возьмете на себя огромные обязательства.

— Разумеется, последнее слово останется за мистером Донованом. Я должен с ним посоветоваться.

В сложившейся ситуации Питеру необходимо было обсудить с ним множество вопросов, но ему не хотелось делать это по телефону. Нужно было дождаться результатов последних исследований, хотя они вряд ли могли что-нибудь изменить, и только потом, имея на руках точные данные тестов Сушара, говорить с Фрэнком.

— Я бы хотел подождать окончания вашего последнего испытания, Поль-Луи. Если вас это не затруднит, до этого момента держите наш разговор в тайне.

— Разумеется.

Они договорились встретиться вторично сразу же после завершения тестов. Поль-Луи пообещал позвонить ему в гостиницу.

Встреча закончилась на унылой ноте. Взяв такси до «Ритца», Питер чувствовал себя опустошенным. За несколько кварталов до Вандомской площади он вышел из машины и решил прогуляться. Более несчастного человека, чем он сейчас, отыскать было трудно. После столь тяжелого труда над препаратом, в который он так верил, как он мог оказаться не соответствующим требованиям безопасности? Каким образом «Викотек» мог стать убийцей? Почему это не было обнаружено раньше? Почему все должно было закончиться именно так? У него была такая возможность помочь человечеству, а вместо этого он разработал смертельно опасное лекарство. Ирония ситуации была очень горькой. Когда он вернулся в отель, его не могла отвлечь ни суматоха часа коктейлей, ни вереница хорошо одетых постояльцев, сновавших туда-сюда. Все было как всегда — арабы, японцы, французские кинозвезды, модели со всего мира. Питер пересек вестибюль и поднялся по лестнице в свой номер, размышляя о том, что делать дальше. Он знал, что должен позвонить своему тестю, однако хотел сначала дождаться получения остальной информации. Лучше всего было бы поговорить об этом с Кейт, но он знал, что все его слова, сказанные жене, дойдут до Фрэнка, не успеет настать утро. Это было одно из самых слабых мест в их взаимоотношениях. Кейт не могла и не хотела держать язык за зубами, и все их супружеские беседы становились известны ее отцу, словно в память об их прежних взаимоотношениях, когда он растил свою девочку один и она делилась с ним всеми своими бедами и радостями. Сколько бы Питер ни старался, он не мог этого изменить. Постепенно он смирился с этим и научился не обсуждать с ней то, что не должно было дойти до Фрэнка. На этот раз он заставил себя не звонить жене. В любом случае это было рано делать. Только после новой встречи с Полем-Луи он сможет смело посмотреть в лицо любым неприятностям.

Вечером Питер сидел в номере и бездумно смотрел в окно. Теплый ветерок обвевал его лицо. Он был не в состоянии поверить в то, что произошло. Это было просто невероятно. В десять часов он вышел на балкон, стараясь не думать о возможности провала. Ему вспоминались его мечты, то, как близко он и его сотрудники, казалось, подошли к их осуществлению. Сколько надежд могло вселиться в души людей, сколько жизней могло измениться! Теперь же Поль-Луи несколькими словами разрушил все это. Надежда все еще оставалась, но вероятность того, что им удастся в ближайшее время получить разрешение на досрочные клинические испытания, была мала. И участие в слушаниях ФДА в сентябре тоже оказывалось под вопросом, поскольку, как выяснилось, препарат требует дополнительной разработки. Боже мой, сколько всего ему теперь предстояло обдумать! Питеру было очень трудно избавиться от этих мыслей, и в конце концов в одиннадцать часов он решил позвонить Кэти. Если уж нельзя рассказать ей о том, что его угнетает, то он хотя бы просто услышит ее голос.

Он без труда соединился с домом, но трубку никто не брал. Там было пять часов вечера, даже Патрика не было дома. Наверное, Кэти пошла обедать с друзьями. Положив трубку, Питер вдруг почувствовал, как его переполнили депрессивные ощущения. Четыре года напряженной работы в один день ушли коту под хвост, а вместе с ними — почти все, о чем он так долго мечтал. И ему даже не с кем было это обсудить. Да, это действительно было уныло.

Он еще немного постоял на балконе, подумывая о том, что надо бы пойти прогуляться, но сама мысль о том, чтобы бродить по парижским улицам, внезапно показалась ему малопривлекательной. Вместо этого Питер решил заняться физическими упражнениями, чтобы хоть немного унять этих демонов сомнения. Взглянув на маленькую карточку у себя на столе, он быстро спустился по лестнице в бассейн, располагавшийся двумя этажами ниже. Он всегда любил пользоваться бассейном «Ритца» и даже не мог себе представить, сколько времени он сможет потратить на плавание на этот раз. Как оказалось, в ожидании решения Сушара он может многим заняться, просто у него нет настроения.

Дежурная была немного удивлена появлением позднего посетителя. Дело близилось к полуночи, и в бассейне не было ни души. В пустынном помещении стояла тишина. Девушка, тихо читавшая книгу, выдала Питеру ключ от кабинки, и через минуту, миновав дезинфекционную ванну, он уже оказался в основном бассейне, большом и красивом. Питер внезапно порадовался тому, что сюда пришел. Именно это и было ему нужно. Может быть, плавание поможет ему прочистить мозги после всего, что произошло.

Он бесшумно нырнул в глубоком конце бассейна, рассекая воду своим длинным худощавым телом. Проплыв довольно солидное расстояние под водой, он в конце концов вынырнул на поверхность и, делая равномерные свободные гребки, направился в дальний конец — где и увидел ее. Она тихо плыла ему навстречу, большей частью под водой, периодически выныривая, чтобы сделать вдох. Она была такая маленькая и хрупкая, что заметить ее в большом бассейне было довольно трудно. На ней был простой черный купальник; намокшие темно-русые волосы казались черными, а во взгляде темных глаз отразилось смятение, когда она заметила Питера. Оливия тут же его узнала, но не подала виду, а снова нырнула в глубину и проплыла мимо на его глазах. Наблюдать за ней было странно. Она была так близко — и в то же время так далеко: тогда, в

лифте, и сейчас. Казалось, она могла бы быть ино-
планетянкой.

Некоторое время они чинно плавали взад-вперед
в разных концах бассейна, потом несколько раз встретились и разминулись в его середине, и в конце концов оба оказались в дальнем конце, словно подчиняясь
какому-то неведомому сценарию. Оба задыхались. Не
зная, что делать дальше, будучи не в состоянии отвести от нее глаза, Питер улыбнулся ей, и она улыбнулась в ответ. Потом так же внезапно Оливия уплыла
прочь, прежде чем он успел заговорить с ней или
задать хоть один вопрос. Правда, он скорее всего так
и не решился бы на это — ведь за ней постоянно
охотились люди, желающие закидать ее вопросами о
том, что они не имели права знать, и Питеру не
хотелось пополнять их число. Он с удивлением отметил про себя, что она пришла в бассейн одна, без
телохранителя. Интересно, знает ли вообще кто-нибудь о том, что она здесь? Неужели они совсем не
обращают на нее внимания? Когда Питер впервые
встретил ее с сенатором, его свита вообще на нее не
смотрела и не разговаривала с ней; сама же Оливия,
казалось, чувствовала себя вполне уютно в своем соб-

ственном мире — так же, как сейчас, когда она как ни в чем не бывало продолжала плавать.

Оливия достигла дальнего конца бассейна, и Питер, словно не осознавая, что делает, медленно поплыл по направлению к ней. Он совершенно не знал, как отреагирует, если она вдруг заговорит с ним. Но было ясно, что таинственная женщина не намерена этого делать. Она была существом, на которое можно было только смотреть, и смотреть с восторгом; чем-то вроде иконы. В ней не было ничего плотского. И словно для того чтобы подтвердить это, Оливия, стоило Питеру приблизиться к ней, грациозно вышла из воды и мгновенно завернулась в полотенце. Когда Питер спустя секунду вынырнул и взглянул в ее сторону, Оливии уже и след простыл. Итак, он оказался прав. Это была не женщина, а легенда.

Вскоре он вернулся в свою комнату и снова подумал о том, что надо бы позвонить Кейт. В Коннектикуте было около семи часов вечера. Наверное, она дома, обедает с Патриком — хотя, может быть, она куда-нибудь и вышла.

Но как ни странно, ему совершенно не хотелось разговаривать с женой. Он не желал врать ей и утверждать, что все прекрасно, — и не мог рассказать о том, что действительно произошло во время его встречи с Сушаром, ведь его жена немедленно поведает обо всем этом своему отцу. Лежа в постели в своем номере, он чувствовал себя ужасно одиноким оттого, что не мог поделиться с самым близким человеком тем, что его так волновало. Да, на этот раз Париж — место, которое должно было бы быть раем, — казался ему своего рода чистилищем. Ночной воздух был теплым, и Питеру стало лучше — физически по крайней мере. Плавание помогло ему. И встреча с Оливией Тэтчер. Она была такая красивая и сказочная — отмеченная какой-то тенью одиночества. Питер не мог понять, что именно заставляло его думать об Оливии так — то, что он читал о ней, или то, что он успел заметить в ее карих бархатных глазах, полных тайн и загадок. По крайней мере точно он мог сказать только одно — при виде этой женщины хотелось подойти поближе и прикоснуться к ней, как к редкой бабочке, — просто чтобы понять, может ли он это сделать и не исчезнет ли она от его прикосновения.

После этого он уснул, и ему снились экзотические бабочки и женщина, прятавшаяся от него за деревьями в жарком тропическом лесу. Питеру все время казалось, что он заблудился; он начинал паниковать и плакать, но тут женщина возникала снова и безмолвно вела его в безопасное место. Он не мог разобрать, кто была эта незнакомка, но был почти уверен в том, что это Оливия Тэтчер.

Проснувшись поутру, он все еще думал о ней. Это было странное чувство — скорее галлюцинация, чем сон. После того как Оливия снилась ему целую ночь, у него создалось ощущение, что он действительно знает ее.

И вдруг зазвонил телефон. Это был Фрэнк. В Америке в это время было четыре часа утра, в Париже — десять. Его тесть и начальник жаждал узнать, как прошла встреча с Сушаром.

— Откуда вы знаете, что я с ним вчера виделся? — спросил Питер, пытаясь проснуться и собраться с мыслями. Фрэнк Донован каждое утро вставал в четыре, а к половине седьмого или к семи оказывался в офисе. Даже сейчас, после того как он несколько месяцев назад начал передавать свои дела зятю (по крайней мере он так говорил), он не отказался от этой привычки.

— Я знаю, что ты уехал из Женевы в полдень, и без труда вычислил, что ты не будешь терять время. Ну, что хорошего скажешь? — Голос Фрэнка был на редкость бодрым, и Питер немедленно вспомнил, какой смертельный ужас охватил его вчера после разговора с Полем-Луи Сушаром.

— На самом деле испытания еще не закончены, — расплывчато ответил Питер. И зачем только Фрэнк позвонил ему? — Я должен подождать здесь несколько дней, пока все не будет завершено.

Фрэнк звонко рассмеялся, и его смех больно ударил Питера по нервам. Что же ему сказать своему тестю?

— Ты ни на мгновение не можешь оставить своего ребенка, да, сынок?

Впрочем, Фрэнк его понимал. Они слишком многое вложили в «Викотек» — как деньги, так и время, — а что до Питера, то новый продукт компании должен был стать воплощением его самой большой мечты. По крайней мере Сушар не сказал, что это вообще бесполезное дело, думал Питер, садясь в кровати. Проблемы — и ничего более. Серьезные проблемы, ничего не скажешь; но надежда на то, что его драгоценное дитя все же родится, по-прежнему оставалась.

— Ну что же, желаю тебе сполна насладиться Парижем. Без тебя тут все в порядке. На работе ничего особенного не происходит. Сегодня мы с Кэти обедаем в «21». Поскольку она не возражает против твоих поездок, я считаю, что могу ее тут немножко развлечь без тебя.

— Спасибо, Фрэнк. Когда испытания будут завершены, я с радостью обсужу с вами их результаты. — Нельзя было делать вид, что ситуация совершенно безоблачная. — По-моему, он обнаружил какие-то подводные камни.

— Ничего серьезного скорее всего, — не задумываясь ответил Фрэнк.

Результаты тестов, проведенных в Германии и Швейцарии, были слишком хороши для того, чтобы вызывать какое-либо беспокойство. Питер тоже так думал, пока Поль-Луи не предупредил его о том, что «Викотек» — потенциальный убийца. Теперь он надеялся только на то, что Сушар в чем-то ошибся и проблемы не так велики, как кажутся сейчас.

— И чем ты собираешься себя занять, томясь в ожидании? — беззаботным голосом спросил Фрэнк.

Фрэнк любил своего зятя; они всегда были хорошими друзьями. Питер был разумным и неглупым человеком — и идеальным мужем для Кэти. Он позволял своей жене делать то, что ей нравится, и не вмешивался в ее взгляд на вещи, когда она посылала детей в «правильные» школы — то есть в Эндовер и Принстон. Каждый год он посещал Мартас-Виньярд и уважал те отношения, которые еще в детстве сложились у Кэти с отцом. А помимо всего прочего, Питер был идеальным президентом для «Уилсон—Донован». И хорошим отцом для мальчиков. На самом деле раздражало Фрэнка в нем лишь немногое. Временами Питер был очень упрям в тех вещах, которые его совершенно не касались, — например, в вопросе насчет интерната и в семейных вопросах.

Его идеи по поводу маркетинга вошли в историю, и благодаря ему «Уилсон—Донован» была самой процветающей фармацевтической фирмой. Фрэнку в свое время удалось развить крупное семейное дело в гигантскую империю, но именно Питер сделал эту империю интернациональной. «Нью-Йорк таймс» писала о нем постоянно, а «Уолл-стрит джорнэл» называла его «чудо-парнем фармацевтики». Совсем недавно та-

мощные журналисты хотели взять у него интервью по
поводу «Викотека», но Питер сказал, что компания
еще не готова к нему. И еще его пригласили выступить на заседании одного из комитетов конгресса,
посвященном этическим и экономическим аспектам
формирования цен на фармацевтическую продукцию.
Питер еще не решил, когда уделить им время.

— Я взял с собой работу, — ответил Питер,
глядя на залитый солнцем балкон. Ему совершенно
не хотелось делать то, о чем он говорил своему тестю, и тем не менее он продолжал: — Я поработаю
на своем компьютере и пошлю сделанное в офис. А
потом пойду прогуляюсь.

В конце концов, впереди у него был целый день.

— Не забудь как следует запастись шампанским, — игриво заметил Фрэнк. — Вам с Сушаром будет что отпраздновать. А когда ты вернешься,
мы продолжим празднование уже здесь. Можно сегодня же позвонить в «Таймс»? — как ни в чем не
бывало добавил он, но Питер нервно покачал головой
и встал, длинный, худощавый и совершенно голый.

— Я подожду. Мне кажется важным дождаться
результатов последнего исследования, чтобы никаких
сомнений уже не оставалось, — торжественно про-

изнес он, спрашивая себя, не может ли кто-нибудь увидеть его сквозь открытое окно. Его черные волосы были взъерошены, а бедра он обмотал махровым гостиничным полотенцем.

— Не надо так нервничать, — упрекнул его Фрэнк. — Испытания должны пройти успешно. Позвони мне, как только что-нибудь разузнаешь, — торопливо закончил он, поняв, что опаздывает в офис.

— Хорошо. Спасибо за звонок, Фрэнк. Передайте Кейт привет, если я не дозвонюсь ей прежде, чем вы с ней увидитесь. Вчера ее целый день не было дома, а сегодня ей еще рано звонить, — сказал Питер, словно желая объясниться.

— Да уж, она девушка занятая, — гордо сказал отец. Для него она все еще оставалась девочкой, ничуть не изменившейся со времен колледжа. Кэти до сих пор выглядела почти так же, как двадцать четыре года назад, когда Питер познакомился с ней. Маленькая симпатичная блондинка с хорошо натренированным телом. У нее была короткая прическа и голубые глаза, как у отца; казалось, в ней было что-то от эльфа — по крайней мере до тех пор, пока на ее пути не вставало какое-либо препятствие. Кейт была хорошей матерью и женой — и исключительной дочерью. Они оба это знали. — Я передам ей от тебя привет, — заверил его Фрэнк и положил трубку.

Так и не сняв с себя полотенце, Питер сел и уставился в окно. Что он скажет Фрэнку, если все полетит прахом? Как он ответит за те миллионы, которые они потратили, за миллиарды прибыли, на которую они рассчитывали, за то, сколько еще предстоит вложить в этот препарат, пока все недостатки не будут исправлены? Питер спрашивал себя, будет ли вообще Фрэнк этим заниматься. Вполне возможно, что он просто откажется от дальнейшей разработки «Викотека». Как председатель совета директоров, он оставил за собой право решающего голоса, но Питер был намерен бороться за свое детище до конца. Он всегда предпочитал большую победу в конце долгого пути, тогда как Фрэнк, наоборот, любил быстрые и эффектные триумфы. В течение четырех лет Питеру постоянно приходилось убеждать его в необходимости продолжать, но еще два года, да еще учитывая то, сколько это будет им стоить, — это слишком...

Он заказал себе кофе с круассанами в комнату и поднял телефонную трубку. Питер знал, что должен подождать звонка Сушара, но ничего не мог с собой поделать. Позвонив Полю-Луи, он выяснил, что тот в лаборатории и позвать его к телефону никак нельзя. У него была какая-то очень важная беседа. Питер извинился — а что ему еще оставалось делать? — и вновь окунулся в эту агонию ожидания, которая могла продлиться целую вечность. С момента их вчерашней встречи прошло меньше двадцати четырех часов, и Питер был уже готов из кожи вон выпрыгнуть — настолько устал он от этого непереносимого напряжения.

Перед завтраком он облачился в халат и подумал о том, что неплохо было бы опять пойти поплавать, но в рабочие часы заниматься чем-то подобным казалось ему кощунством. Вместо этого он достал свой компьютер и уселся за работу, жуя круассан и попивая кофе. Однако сосредоточиться было очень трудно, и к полудню он принял душ, оделся и оставил всякую надежду на то, что ему удастся поработать.

Он долго раздумывал над тем, чем бы ему заняться. Хотелось сделать что-нибудь очень фривольное — даром, что ли, он в Париже? Прогуляться вдоль Сены или по рю де Бак, поболтаться по Латинскому кварталу, иногда заходя в кафе, чтобы выпить, и разглядывая прохожих. Что угодно, только бы не работать и не думать о «Викотеке». Нужно выбраться из этого чертова номера и стать частью города.

Питер надел темный деловой костюм с безупречно накрахмаленной белой рубашкой. Больше он ничего с собой не взял, так что пришлось выглядеть официально. Пройдясь немного по Вандомской площади, он поймал такси и попросил водителя отвезти его в Булонский лес. Он совсем забыл, как ему в свое время нравилось здесь бывать. В этот день Питер провел в парке несколько часов, наслаждаясь солнцем, мороженым и глядя на сновавших вокруг него детей. Как далек он был сейчас от лабораторий, в которых его коллеги трудились над «Викотеком», а тем более от Гринвича, штат Коннектикут! Нежась под парижским солнышком, он совершенно потерялся в своих мыслях, и ему казалось, что даже загадочная молодая жена сенатора Тэтчера тоже где-то очень далеко.

Глава 3

Покинув Булонский лес в разгар дня, Питер доехал на такси до Лувра и побродил по нему. Экспозиция была замечательно организована; статуи во дворе были такими убедительными, что Питер долго стоял перед ними, завороженный их красотой, чувствуя молчаливую связь с ними. Он даже не заметил стеклянную пирамиду, возведенную прямо напротив Лувра и вызвавшую столько споров у иностранцев и самих парижан. Немного прогулявшись, Питер в конце концов отправился на такси в отель. Он провел в городе несколько часов и снова почувствовал себя человеком. Надежда возродилась в нем: даже если испытания будут неудачными, они все равно смогут как-то

усвоить полученную информацию и снова двинутся
вперед. Он не собирается хоронить такой важный
проект только из-за того, что возникли некоторые
проблемы. В конце концов, на слушаниях ФДА дело
не кончится. Он пропускал их в течение многих
лет, пропустит и сейчас. Что же, разработка займет пять лет, а то и все шесть, а не четыре —
ничего страшного.

Когда Питер добрался до отеля, у него было рас-
слабленное философское настроение. День клонился
к вечеру, никаких сообщений для него не было. Он
купил газету и нашел продавщицу, которая сняла ему
с витрины золотой браслет для Кэти. Это была красивая толстая цепочка с большим золотым сердцем,
свисавшим с нее. Кейт любила сердечки, так что можно
было не сомневаться в том, что браслет ей понравит-
ся. Отец обычно покупал ей очень дорогие вещи —
например бриллиантовые ожерелья и кольца; поскольку
Питер знал, что не может соперничать с ним, он
обычно выбирал подарки, которые она наверняка будет носить или которые имеют особое значение.

Поднявшись и окинув взглядом пустую комнату,
он внезапно вновь забеспокоился. Искушение еще раз
позвонить Сушару было велико, но на этот раз он

справился с ним. Вместо этого он снова набрал свой домашний номер, но услышал все то же — автоответчик. В Коннектикуте был полдень: наверное, она ушла куда-нибудь на ленч, и одному Богу известно, где их младший сын.

Майк и Пол должны были вскоре приехать из своих школ, Патрик никуда не отлучался, и на следующей неделе они вместе с Кэти собирались поехать отдыхать. Питер же планировал остаться в городе работать, приезжая к ним по выходным, как было всегда, а потом провести вместе с ними отпуск в августе. У Фрэнка отпуск в этом году продолжался два месяца — июль и август, — и Кэти собиралась устроить большой пикник на Четвертое июля*, чтобы открыть сезон.

— Жаль, что я тебя не застал, — сообщил он автоответчику, чувствуя себя полным идиотом. Он терпеть не мог разговаривать с электроникой. — Из-за разницы во времени это очень трудно. Я позвоню тебе еще, пока... О... я забыл сказать, что это Питер...

Повесив трубку со странной усмешкой, он мысленно пожалел, что его слова звучали так глупо. Разговор с автоответчиком всегда заставлял его чувствовать себя неловко.

---

* Национальный праздник США, годовщина принятия Декларации независимости (1776). — *Примеч. ред.*

— Один из заправил империи не может оставить сообщение на автоответчике, — сказал он вслух, чтобы посмеяться над собой.

Растянувшись на обтянутой персиковым шелком кушетке, Питер огляделся, пытаясь решить, что делать с обедом. Можно было отправиться в ближайшее бистро, или спуститься в ресторан, или заказать обед в номер и съесть его, смотря Си-эн-эн или сидя за компьютером. В конце концов он выбрал последнее — как наиболее простое.

Сняв пиджак и галстук, он закатал свои накрахмаленные манжеты. Питер принадлежал к тому типу людей, которые и в конце дня выглядят такими же свежими, как утром. Его сыновья посмеивались над ним, говоря, что он родился в галстуке, что заставляло его с улыбкой вспоминать свое детство в Висконсине. Но Висконсин был далеко-далеко позади. И хотя ему порой хотелось свозить туда сыновей, после смерти родителей и сестры никакого стимула ехать туда у него не было. Иногда он вспоминал о детях Мюриэл, которые жили в Монтане, но ему казалось, что пытаться связаться с ними уже поздно. Они выросли и не узнают своего дядю. Кэти была права. Он опоздал.

Ничего интересного в новостях не было, и Питер погрузился в свою работу. Он был приятно поражен качеством обеда, но, к разочарованию официантки, почти не обратил внимания на сервировку. Блюда были очень красиво сервированы, но Питер разложил перед собой свой ноутбук и принялся трудиться.

— Не выйти ли вам прогуляться, мсье? — по-французски сказала официантка.

Вечер был восхитительный, и город, освещенный полной луной, мог заворожить кого угодно, но Питер заставил себя не обращать на все это внимания.

В качестве награды он решил еще раз спуститься поплавать, когда совсем стемнеет. Однако в одиннадцать часов до него донесся непрекращающийся гудок. Что это — радио, телевизор? Или что-то случилось с компьютером рядом с его кроватью? Сигнал был двойным, сочетая в себе звон колокола и пронзительное завывание. В конце концов любопытство победило лень, и Питер выглянул в коридор, немедленно обнаружив, что звук стал громче, как только он открыл дверь. Другие постояльцы тоже выглядывали из своих дверей, испуганные и обеспокоенные.

— Feu? Пожар? — спросил он у пробегавшего мимо посыльного, который неуверенно посмотрел на Питера и едва остановился, чтобы ответить.

— C'est peut-être un incendie, monsieur*, — ответил он.

Питер подумал, что, возможно, первое же его предположение было верным. Никто не знал этого наверняка, но и не сомневался, что сигнал объявлял о тревоге. Все больше и больше людей высыпало в коридор, а потом внезапно все вокруг зашевелились, словно весь персонал гостиницы занялся делом. Горничные, метрдотели, официантки, посыльные, уборщицы и gouvernante** их этажа быстро и решительно проходили мимо, стуча в двери, звоня в колокольчики и призывая всех выйти на улицу как можно быстрее: «Non, non, madame***, не надо переодеваться, останьтесь в ночной рубашке». В руках *gouvernante* была одежда, посыльные несли маленькие сумочки и помогали дамам вывести их собак. Никаких объяснений происходящего пока не последовало, но всем велели покинуть помещение, не медля ни минуты.

Питер поколебался, не зная, брать ли ему с собой свой ноутбук, но потом принял решение оставить его в номере. В компьютере не было никакой секретной

---

    *   Возможно, это пожар, сударь *(фр.)*.
    **   старший смотритель *(фр.)*.
    *** Нет-нет, мадам *(фр.)*.

информации, только некоторые заметки и его деловая корреспонденция. В какой-то степени он даже почувствовал облегчение от того, что не взял его с собой. Он не стал надевать пиджак и просто положил бумажник и паспорт в карман брюк. Взяв ключ, Питер спустился по лестнице. Впереди шла группа японок в наспех наброшенных костюмах от Гуччи и Диора, позади — обширное американское семейство со второго этажа, несколько арабок, увешанных великолепными драгоценностями, трое красивых немцев, прорывавшихся вперед, и целая стая крохотных йоркширских терьеров и французских пуделей.

В этом торопливом исходе было что-то странно комическое, и Питер улыбался про себя, тихо спускаясь по лестнице и пытаясь не думать о том, как все это похоже на катастрофу с «Титаником». Едва ли, впрочем, отель «Ритц» мог утонуть.

На пути им постоянно попадались сотрудники отеля, которые успокаивали своих подопечных, предлагали помощь, подавали руку, если это было нужно, и приносили свои извинения за причиненные неудобства. Но никто не говорил ни слова о том, почему все это происходило, в чем дело — пожар ли это, или ложная тревога, или какая-либо иная серьезная угроза для постояльцев гостиницы. Но, пройдя мимо роскошных витрин по вестибюлю и выйдя на улицу, Питер увидел команду спасателей, соответствующим образом экипированных, с оружием и щитами. Король Халед и его свита уже усаживались в подоспевшие правительственные лимузины, и Питер решил, что скорее всего все дело в угрозе взрыва. В толпе были две известные французские актрисы с «друзьями», множество немолодых мужчин в компании молоденьких девушек, Клинт Иствуд в джинсах и футболке, только что покинувший тир. Когда все постояльцы отеля вышли на улицу, было около полуночи. На Питера произвело впечатление, как быстро, профессионально и грамотно была проведена эвакуация. Теперь, когда все оказались на безопасном расстоянии от «Ритца», на Вандомской площади, служащие гостиницы принялись быстро расставлять прямо на газонах легкие столики, предлагая людям закуски и кофе, а также более крепкие напитки. Если бы не позднее время и явное неудобство, а также слабое ощущение опасности, в этом можно было бы найти даже своего рода удовольствие.

— Привет моему ночному сеансу плавания, — сказал Питер Клинту Иствуду, оказавшемуся с ним рядом. Оба смотрели на отель, ища признаки пожара, но их не было. Спасатели уже вошли внутрь — видимо, для того чтобы искать бомбу. Было ясно, что все началось со звонка с угрозой.

— И привет моему сну, — мрачно усмехнулся актер. — Завтра мне вставать в четыре утра. Это все протянется долго, если они действительно ищут бомбу.

Он подумывал о том, чтобы улечься спать в машине, но у большинства гостей такой возможности не было. Они просто стояли на улице, все еще не оправившись от изумления, прижимая к себе своих собак, «друзей» и маленькие кожаные сумочки с драгоценностями.

Питер увидел, как в двери отеля входит следующая группа спасателей, и подчинился приказу отойти от здания еще дальше. Потом он повернулся и внезапно наткнулся взглядом на нее. Энди Тэтчер, окруженный, как всегда, помощниками и телохранителями, выглядел так, как будто все происходящее его нисколько не занимает. Он был погружен в оживленную беседу со своими спутниками: все это были мужчины, кроме единственной женщины, в которой без труда можно было распознать матерого волка от

политики. Она яростно курила, и Тэтчер с явным
интересом прислушивался к ее словам. Питер заметил, что Оливия стояла за ними и никто с ней не
общался. На нее не обращали вообще никакого внимания, и Питер принялся разглядывать ее с нескрываемым восхищением. Рядом с Оливией не было даже
телохранителя; одетая в белый хлопчатобумажный
джемпер и джинсы, делавшие ее похожей на школь-
ницу, она рассеянно потягивала гостиничный кофе.
Тэтчер и один из его людей попытались заговорить
со спасателями, стоявшими в оцеплении, но те только
покачали головами. Они явно еще не выяснили, в чем
дело. Кто-то вынес раскладные стулья, и официанты
стали усиленно предлагать гостям сесть. Принесли
вино, люди по-прежнему переносили это неудобство
весьма благосклонно. Постепенно вся сцена превращалась в ночной праздник на Вандомской площади.
И, не пытаясь даже бороться с собой, Питер продолжал разглядывать Оливию Тэтчер с нескрываемым
интересом.

Через некоторое время она незаметно отделилась
от группы своего мужа. Телохранители явно потеряли
ее из виду и даже не пытались разыскать. Сенатор
стоял, повернувшись к ней спиной; за все время пос-

ле того как они вышли из отеля, он ни разу не заговорил с ней. Он вместе со своей свитой уселся на стулья, а Оливия отошла назад, чтобы взять еще одну чашечку кофе. Она была совершенно спокойна и не проявляла никаких признаков раздражения по поводу того, что муж столь явно игнорировал ее. Питер чувствовал, как она все больше и больше завораживает его, и был не в состоянии отвести от нее взгляд.

Усадив пожилую американку на стул и погладив ее собаку, Оливия поставила пустую чашечку на стол. Официант предложил ей еще кофе, но она с улыбкой отказалась, покачав головой. В ней было что-то очень нежное и светящееся, как будто она спустилась на землю с небес и действительно была ангелом. Питеру трудно было смириться с мыслью о том, что перед ним обыкновенная женщина. Она казалась такой мирной, такой спокойной, безупречной и загадочной, а когда к ней приближались люди — такой испуганной. Было совершенно очевидно, что под пристальными взглядами она чувствует себя крайне неловко; казалось, она только тогда могла быть счастлива, когда на нее никто не обращал внимания. И этим вечером ее действительно никто не замечал. Оливия была так неприхотливо одета, что даже американцы, которых в толпе было предостаточно, не узнавали ее, хотя ее фотографии сотни раз появлялись в газетах и журналах. В течение многих лет она была мечтой обывателей: они цеплялись к ней и пытались застать ее врасплох, особенно в те мучительные месяцы, когда у нее умирал ребенок. Но даже сейчас она вызывала в них любопытство, словно своего рода легендарная мученица.

Постепенно Оливия стала отходить все дальше и дальше от основного ядра толпы, и через некоторое время Питер уже с трудом различал ее. Интересно, была ли на это какая-нибудь причина или она просто бездумно отодвинулась в тень? Ее муж и не смотрел в ее сторону. К отелю подходили припозднившиеся постояльцы, которые возвращались из ресторанов, театров или ночных клубов или просто с вечеринок с друзьями. На площади столпилось немало зевак, бурно обсуждавших происходящее. Они склонны были сваливать все на короля Халеда, хотя в гостинице в это же время находился британский министр, и поэтому прошел слух, что это ирландцы. Приказ полиции запрещал кому бы то ни было входить внутрь, пока не будет найдена бомба или не будет доказано, что ее там нет.

Было далеко за полночь; Иствуд уже давно спал в кабине своего съемочного грузовика, не желая проводить оставшиеся у него четыре часа на Вандомской площади. Питер огляделся и заметил, что Оливия Тэтчер незаметно оторвалась от стоявших кучками постояльцев и перешла на другую сторону площади. Повернувшись спиной ко всем остальным, она так же быстро двинулась к углу. «Интересно, куда это она?» — спрашивал себя Питер. Он посмотрел, пошел ли за ней телохранитель, но женщина была, казалось, предоставлена самой себе. Она ускорила шаги и шла не оборачиваясь. Не отрывая от нее глаз, Питер, не успевший даже задуматься над тем, что он делает, медленно пошел за ней следом. Вокруг отеля была такая суета, что их исчезновение никто не заметил. Правда, Питер не обратил внимания на то, что за ними двинулся какой-то мужчина, быстро, впрочем, потерявший к ним интерес и вернувшийся в самую гущу толпы, где снова началась какая-то суматоха: на глазах у начинавших нервничать спасателей две хорошо известные модели включили CD-плейер и принялись танцевать друг с другом. В это же время прибыли журналисты Си-эн-эн; часть из них немедленно окружила сенатора Тэтчера, расспрашивая о его отношении к терроризму за границей и в Америке. Сенатор отвечал вполне недвусмысленно. Учитывая то, что случилось с его братом несколько лет назад, он решительно осуждал подобного рода практику. Тэтчер произнес небольшую, но довольно пылкую речь, и окружавшие его люди зааплодировали, когда он закончил; после этого репортеры начали обращаться с вопросами к остальным. Интересно было то, что они даже не спрашивали, можно ли поговорить с его женой, словно бы сенатор выступал от имени обоих Тэтчеров. Потом настал черед моделей давать интервью. Девушки заявили, что получают огромное удовольствие от этого вечера и что подобные вещи должны происходить в «Ритце» как можно чаще. Они обе приехали сюда для трехдневных съемок в журнале «Харперс Базар», им очень нравится Париж. Потом они спели небольшую песенку и устроили маленькое шоу на Вандомской площади. Это была очень оживленная группа... Несмотря на возможную опасность, ночь получалась на редкость праздничной.

Но Питера все это уже не интересовало: он следовал за женой сенатора, скрывшейся за углом Вандомской площади. Казалось, она знала, куда идет, и шла очень уверенно, размашистым шагом, так что

Питер поспевал за ней с некоторым усилием. Он понятия не имел, что скажет ей, если она остановится, обернется и спросит его, зачем он за ней идет. Он сам не знал зачем. Просто он должен быть здесь. Его словно кто-то позвал в путь, и он шел за Оливией, подчиняясь неслышному приказу. Питер говорил себе, что хочет лишь уберечь ее от возможной опасности в такой поздний час, но не смог бы ответить на вопрос, почему именно он должен быть ее телохранителем.

К его удивлению, она дошла до площади Согласия и остановилась там, с улыбкой глядя на фонтаны и сияющую поодаль Эйфелеву башню. Здесь сидел какой-то старый бродяга, проехал на роликах молодой парень, две парочки целовались на скамейках, не обращая никакого внимания на Оливию, которая, казалось, была счастлива своим одиночеством. Питеру захотелось подойти к ней и, обняв ее, вдвоем смотреть на фонтаны. Но вместо этого он остановился на почтительном расстоянии, не сводя с нее глаз. И вдруг она, к полному смущению Питера, обернулась и вопросительно посмотрела на него, как будто внезапно почувствовала его присутствие, как будто она знала его причину, но все равно собиралась потребовать у него объяснений. Ей было ясно, что он преследовал ее, но она, казалось, ничуть не разозлилась и не испугалась. Питер страшно смутился, когда она повернулась и медленно подошла к нему. Оливия узнала в нем человека, плававшего вчера вместе с ней в бассейне, но Питер покраснел, когда она подошла совсем близко. К счастью, в темноте этого не было видно.

— Вы фотограф? — Вопрос был задан очень тихим голосом. Оливия казалась совсем беззащитной и неожиданно грустной. Это уже случалось с ней раньше — сотни, тысячи раз. Фотографы преследовали ее всюду, торжествуя всякий раз, когда им удавалось поймать момент из ее частной жизни. Теперь она к этому привыкла и неохотно приняла это неудобство как неотъемлемую часть своего существования.

Но Питер покачал головой, почувствовав, что́ она должна ощущать. Ему было стыдно, что он невольно помешал ее одиночеству.

— Нет, я не фотограф. Простите меня... Я... Мне просто хотелось знать, что вы... Сейчас уже поздно.

Отважившись поднять на нее глаза, он вдруг почувствовал, как смущение уходит, уступая место желанию защитить эту невероятно хрупкую женщину — женщину, какой он никогда раньше не встречал.

— Вы не должны ходить одна в такое время — это опасно.

Оливия взглянула на молодого человека и пожилого клошара и пожала плечами, переведя на Питера заинтересованный взгляд.

— Почему вы пошли за мной? — прямо спросила она, глядя на него своими карими бархатными глазами.

Питеру захотелось протянуть руку и дотронуться до ее лица.

— Я... я не знаю, — честно сказал он. — Любопытство... рыцарство... восхищение... глупость... — Ему хотелось сказать ей, что он ошеломлен ее красотой, но это было невозможно. — Я хотел удостовериться в том, что с вами все в порядке. — И вдруг он решил быть с ней честным. Обстоятельства были несколько необычные, а Оливия казалась человеком, с которым можно разговаривать откровенно. — Вы ведь просто ушли, никому не сказав, да?

Может быть, сейчас телохранители уже обнаружили исчезновение Оливии и повсюду ищут, но ей явно было все равно. Когда она подняла глаза на своего собеседника, Питер подумал, что она похожа на шаловливого ребенка. Он был единственным свидетелем ее поступка, и Оливия это знала.

— Возможно, их это совершенно не интересует, — так же прямо и без всякого сожаления ответила она полным озорства голосом — к немалому удивлению Питера. Без труда можно было сделать вывод, что она совершенно заброшенная женщина. Ни один человек из ее группы не обращал на нее никакого внимания, даже ее муж. — Мне нужно было уйти. Иногда очень тяжело... быть в моей шкуре.

Она снова взглянула на Питера, явно неуверенная в том, что он знает, кто она такая, и не желая раскрывать инкогнито.

— В любой шкуре иногда бывает тяжело, — философски заметил Питер. Ему тоже временами бывало несладко, хотя с ее положением это было не сравнить. Он посмотрел на Оливию с сочувствием. Раз уж он позволил себе этот экстравагантный поступок, не будет никакого вреда, если он зайдет еще дальше. — Можно ли угостить вас кофе?

Оба улыбнулись этому старомодному приему. Оливия заколебалась, не зная, насколько честны его намерения, и Питер, видя, что она сомневается, тепло улыбнулся.

— Это вполне искреннее предложение. Я хорошо воспитан, поэтому вы можете совершенно спокойно принять от меня чашечку кофе. Я бы пригласил вас в ресторан в своем отеле, но у них, к сожалению, сегодня вечером не все в порядке.

Оливия рассмеялась, и ее напряжение явно спало. Она ведь встречалась с ним в отеле, в лифте и бассейне. На нем была дорогая и безупречно чистая рубашка, брюки от костюма и хорошая обувь. Нечто в его глазах заставляло предполагать, что он приличный и добрый человек. В конце концов она кивнула.

— Я бы хотела выпить кофе, но только не в вашем отеле, — чопорно ответила она. — Сегодня там что-то слишком людно. Что вы скажете насчет Монмартра?

— Замечательная идея. Проедемся в такси?

Оливия кивнула, и они отправились на ближайшую стоянку такси. Сев в машину с его помощью, она назвала адрес бистро, которое работало допоздна. Столики там были выставлены на тротуар. Этой теплой ночью им совершенно не хотелось возвращаться в отель, хотя сложившаяся ситуация обоих явно смущала. Первой сломала лед она, посмотрев на него насмешливо.

— И часто вы это делаете? Я имею в виду: преследуете женщин? — Внезапно она почувствовала, что все это ее очень забавляет.

Питер покраснел в темноте кабины и покачал головой:

— Я никогда на самом деле раньше ничего подобного не вытворял. Это со мной впервые, и я до сих пор не понимаю, зачем я это сделал.

Он не стал объяснять ей, что ему по какой-то неведомой причине захотелось защитить ее.

— На самом деле я очень рада, что вы это сделали, — ответила Оливия, чувствуя себя неожиданно хорошо и спокойно в его обществе. Они доехали до ресторана и спустя мгновение уже сидели за столиком на воздухе, попивая горячий кофе. — Наверное, вы поступили правильно, — с улыбкой добавила она. — А теперь расскажите мне о себе.

Она положила подбородок на руки и стала удивительно похожа на Одри Хепберн.

— Рассказывать особенно нечего, — с легким смущением сказал он. То, что он испытывал, было похоже на блаженство.

— А я уверена, что это не так. Откуда вы? Из Нью-Йорка?

Надо же, она почти угадала. Ведь работал он в Нью-Йорке.

— В некоторой степени. Я работаю в Нью-Йорке, а живу в Гринвиче.

— Вы женаты, и у вас двое детей.

Она сама рассказывала ему о нем, задумчиво улыбаясь. Наверное, его жизнь по сравнению с ее полным трагедий и разочарований существованием казалась очень счастливой и заурядной.

— Трое сыновей, — поправил он. — И жена, вы правы.

Питеру вдруг стало отчего-то стыдно. У него — три сына, у нее — маленький мальчик, умерший от рака... Это был единственный ее ребенок, и Питер, как и весь мир, знал, что больше у нее детей не было.

— Я живу в Вашингтоне, — тихо сказала она, — почти все время.

Она ничего не сказала ему о том, есть у нее дети или нет, и Питер, естественно, не стал спрашивать.

— Вам нравится Вашингтон? — мягко спросил он, и Оливия пожала плечами, сделав еще один глоток кофе.

— Да нет. Когда я была молодая, я его ненавидела. А теперь, когда я об этом думаю, мне кажется,
что я должна ненавидеть его еще больше. Дело не в
самом городе, а в том, что он делает с людьми, живу-
щими в нем. Я терпеть не могу политику и все, что
стоит за этим словом.

Питер видел, с какой страстностью она произнесла эти слова. Но политикой занимались ее отец и
брат, ее муж, наконец, и едва ли у нее была возможность избежать ее цепких клешней. Потом Оливия
подняла на него глаза, вдруг осознав, что она еще не
представилась ему. Хорошо бы он не догадался, кто
она такая, и думал, что она обыкновенная женщина —
в джинсах, мокасинах и спортивном джемпере. Но по
его взгляду можно было понять, что он ее узнал. Скорее
всего он пьет с ней кофе в два часа ночи не из-за этого,
но все равно ее имя не является для него секретом.

— Я думаю, глупо с моей стороны предполагать,
что вы не знаете мое имя, — полувопросительно-
полуутвердительно сказала Оливия, глядя на него широко распахнутыми глазами.

Питер кивнул, испытывая к ней острое сочувствие.
Конечно, она предпочла бы анонимность, но ее судьба была иной.

— Я знаю, и вы правы: наивно думать, что люди на улицах вас не узнают. Но это ничего не меняет. Вы вправе ненавидеть политику, вправе делать все, что вам заблагорассудится, например, пойти гулять на площадь Согласия или говорить своим друзьям все, что вам вздумается. Каждый человек нуждается в этом.

Он почти физически ощущал, как ей тяжело переносить свою известность.

— Спасибо, — тихо сказала она. — Вы говорили, что во всякой шкуре иногда бывает тяжело. В вашей тоже?

— Временами, — честно ответил он. — Всем нам иногда бывает тяжело. Я возглавляю крупную фирму, и иногда мне хочется, чтобы об этом никто не знал и я мог делать все, что мне заблагорассудится. Как сейчас, например. — На мгновение ему захотелось быть свободным и забыть о том, что женат. Но он знал, что никогда не сможет поступить так с Кэти. Питер ни разу не изменял ей и не хотел делать этого и сейчас, с Оливией Тэтчер — даже с ней. Впрочем, и она об этом совершенно не думала. — Вероятно, все мы время от времени устаем от жизни и от возложенных на нас обязанностей. Как и вы, наверное, — с сочувствием сказал он. — И еще мне кажется, что каждому человеку временами хочется вот так уйти на площадь Согласия, скрывшись от окружающих. Как Агата Кристи.

— Меня всегда интересовала эта история, — смущенно улыбаясь, призналась Оливия, — и все время хотелось сделать что-нибудь подобное.

На нее произвело впечатление то, что он об этом знал. Поступок Агаты Кристи, в один прекрасный день просто исчезнувшей, всегда вызывал у нее восхищение. Ее разбитую машину вскоре обнаружили, а сама знаменитая писательница как сквозь землю провалилась. И появилась только через несколько дней, никак не объяснив свое исчезновение. В свое время это вызвало настоящую сенсацию, и все газеты Англии — да и всего мира тоже — только и писали об этом.

— Ну что ж, теперь вы это сделали — по крайней мере на несколько часов. Вы покинули свою жизнь, как и она. — Питер улыбнулся ей, и Оливия снова посмотрела на него своими озорными глазами.

— Но Кристи-то ушла надолго, — засмеявшись, произнесла она. — А я — только на несколько часов. — В ее голосе слышалось явное разочарование.

— Вполне возможно, что в «Ритце» все с ума сходят, разыскивая вас. Наверное, думают, что вас похитил король Халед.

Оливия расхохоталась еще звонче, став совсем похожей на девочку. Питер заказал обоим по сандвичу. Когда их принесли, они оба набросились на них, внезапно почувствовав дикий голод.

— А вы знаете, я не думаю, что они меня вообще ищут. Я уверена в том, что если я действительно исчезну, никто даже не заметит этого, если только в этот день не будет собрания или программной речи в женском клубе. В подобных случаях я могу оказаться очень полезной. В остальное же время моя персона мало кого интересует. Я словно искусственные деревья, которыми украшают сцену. Их не нужно ни удобрять, ни поливать — их просто выкатывают на сцену, когда надо ее украсить.

— То, что вы говорите, ужасно, — упрекнул ее Питер, хотя по тому, что он видел сам, можно было понять, что она права. — Неужели вы именно так воспринимаете свою жизнь?

— Да, скорее всего так, — сказала Оливия, сознавая, как она рискует. Если окажется, что он журналист или, хуже того, репортер бульварной газеты, к утру вся Америка будет перемывать ей косточки. Но в какой-то степени ей было на это наплевать. Временами ей очень хотелось кому-нибудь довериться, а в Питере было что-то невероятно доброе и привлекательное. Она никогда не беседовала ни с кем так, как сейчас с ним, и ей совершенно не хотелось останавливаться и возвращаться в свою жизнь, даже в отель «Ритц». Если бы можно было сидеть с ним на Монмартре вечно...

— Почему вы вышли за него замуж? — осмелился спросить он, когда Оливия положила на тарелку остатки сандвича.

Некоторое время она задумчиво смотрела во тьму, а потом опять перевела глаза на Питера:

— Он был другим. Но все очень быстро меняется. С людьми происходят перемены к худшему. Мы очень нежно любили друг друга, и он клялся мне, что никогда не будет заниматься политикой. На примере карьеры своего отца, из-за которой моя мать страдает всю жизнь, я прекрасно знала, что делает с людьми этот вид деятельности. Энди собирался быть адвокатом. Мы хотели иметь детей, лошадей, собак и жить в сельском доме в Виргинии. Так продолжалось полгода, а потом все кончилось.

В семье уже был политик — брат Энди. Том со временем собирался стать президентом, и я была бы рада видеть Белый дом только раз в году, на Рождество. Но Тома убили через полгода после того, как мы поженились, и Энди совершенно переменился. Я не знаю, что с ним произошло, — возможно, он чувствовал себя обязанным принять знамя, выпавшее из рук брата, и сделать «что-нибудь нужное для страны». Он долго вел такие разговоры, и в конце концов мне надоело их слушать. Постепенно он влюбился в политику. Политические амбиции — это очень тяжелая штука. По-моему, это требует от тебя больше времени и сил, чем любой ребенок, больше любви и преданности, чем любая женщина.

Политика пожирает любого, кто с ней соприкасается. Нельзя любить политику и выжить. Это просто невозможно — я это знаю. Постепенно она съедает всю вашу душу, всю любовь, достоинство и честь, и вы превращаетесь из человека, которым были когда-то, в политика. Недостойная замена, прямо вам скажу. Тем не менее с моим мужем произошло именно это. Энди ринулся в политику и потянул за собой меня. Он обещал мне, что у нас будут дети, и родился Алекс, хотя Энди этого не особенно хотел. Он появился на свет, когда мой муж проводил очередную кампанию, так что его даже не было рядом со мной. Он был далеко, и когда мой малыш умер, — добавила Оливия, и лицо ее словно окаменело. — Такие вещи все меняют. Том... Алекс... политика. Большинство людей этого просто не могут перенести. Мы не смогли. Я не знаю, почему мне казалось, что когда-нибудь все встанет на свои места. По-моему, когда Том погиб, он забрал с собой в могилу лучшую часть Энди. То же самое произошло со мной, когда не стало Алекса. Иногда жизнь становится очень тяжелой. И бывает так, что победить невозможно, как бы ты ни старался, как бы много денег ни было у тебя в сейфе. Я много поставила на эту игру, я участвовала в этом слишком долго. Мы женаты уже шесть лет, и трудности начались сразу.

— Почему вы остались с ним?

Это была странная беседа для двух только что познакомившихся людей. Они оба были удивлены прямотой его вопросов и искренностью ее ответов.

— А что бы вы сделали на моем месте? Я не могу его покинуть. Что я ему скажу? «Мне очень жаль, что твоего брата убили и твоя жизнь пошла наперекосяк... Мне очень жаль, что наш единственный ребенок...» — Она не смогла продолжать, и Питер взял ее руку, которую Оливия даже и не подумала убрать.

Еще вчера ночью они плавали рядом в бассейне, так и не познакомившись, а днем позже, в кафе на Монмартре, вдруг стали почти друзьями.

— А у вас могут быть еще дети? — осторожно спросил Питер. Никогда не знаешь, что происходит с людьми, что они могут и чего не могут себе позволить, но ему хотелось спросить ее и услышать ответ.

Оливия печально покачала головой:

— Я могу родить, но не буду. Не сейчас. Я не хочу, чтобы это повторилось снова. Мне страшно еще раз так привязаться к другому человеку. И я не хочу больше иметь детей в той жизни, которой я живу. Не от этого человека. Не от политика. Это почти разрушило мою жизнь и жизнь моего брата, когда мы были маленькими.... и, что еще важнее, это почти убило мою мать. Она жила так почти сорок лет и ненавидела свое существование. Мать никогда в этом не признавалась, но теперь она испытывает постоянный страх за каждое свое движение, за то, как его истолкуют другие люди. Она боится быть, что-то делать, думать или говорить. Энди хочет, чтобы и я была такой же, и я не могу больше принадлежать себе. — Когда она произносила эти слова, на лице ее отражался искренний ужас, и он понял, о чем она подумала.

— Я не причиню вам вреда, Оливия. Я никогда никому не передам того, что вы мне сказали. Это останется между нами и Агатой Кристи. — Питер улыбнулся, и Оливия осторожно подняла на него глаза, гадая, может она верить ему или нет. Как ни странно, она чувствовала, что ему можно доверять. Одного взгляда на него было достаточно, чтобы понять, что он ее не предаст. — Сегодня ночью ничего не произошло, — почти ласково сказал он. — Мы вернемся в отель по отдельности, и никто даже не узнает, где мы провели это время и что мы были вместе. Я никогда с вами не встречался.

— Хорошо, — с облегчением и благодарностью произнесла Оливия. Она поверила своему собеседнику.

— Вы можете писать, правда? — спросил он, вспоминая то, что он читал о ней несколько лет назад.

— Я раньше писала, как и моя мать. Она была очень талантлива и написала роман о Вашингтоне, когда карьера моего отца только начиналась. Он был издан, но отец не разрешил печататься, хотя ей стоило это сделать. Я не настолько одарена и никогда не публиковалась, но в течение долгого времени хотела написать книгу о людях и компромиссах и о том, что́ происходит, когда ты слишком часто идешь на компромисс.

— Почему же вы этого не сделали? — искренне удивился Питер, но Оливия только рассмеялась и покачала головой.

— А как вы думаете, что бы произошло, если бы я это сделала? Пресса бы просто с ума сошла. Энди сказал бы, что я хочу подвергнуть опасности его карьеру. Книга никогда бы не дошла до читателя: ее спрятали бы где-нибудь на складе люди из его окружения.

Птичка в золотой клетке, вдруг подумал Питер об Оливии. Ей нельзя было делать то, что она хотела делать, она жила в постоянном страхе причинить вред своему мужу. И все равно она сейчас покинула его и сидела в кафе на Монмартре, раскрывая свое сердце перед незнакомцем. Да, Оливия вела странную жизнь, и Питер, наблюдая за ней, понял, как близка она была к тому, чтобы отказаться от нее. Ее ненависть к политике и та боль, которую общественная деятельность ее мужа причинила ей, были совершенно очевидны.

— А вы? — Она подняла на Питера свои прекрасные карие глаза, желая узнать о нем как можно больше. Ей было известно только то, что он был женат, имел троих сыновей, занимал видное положение и жил в Гринвиче. Но еще она знала, что он был хорошим слушателем, и когда держал ее за руку и смотрел на нее, Оливия чувствовала, как внутри нее оттаивает что-то давно отмершее.

Питер долго молчал, все еще держа ее за руку и глядя ей в глаза. Он не любил рассказывать о себе, но Оливия доверилась ему, и теперь он хотел поделиться с ней своими проблемами. Питер чувствовал, что ему необходимо высказаться.

— Я здесь по делам фармацевтической фирмы, которой управляю. В течение четырех лет мы разрабатывали очень сложный препарат, и, несмотря на то что иногда лекарства создаются еще дольше, нам очень хотелось с ним поторопиться. Мы потратили на это огромное количество денег. Этот препарат может произвести настоящую революцию в химиотерапии, и для меня лично это очень важно. Я хочу компенсировать этим вкладом в историю мира все глупые и эгоистичные поступки, которые я совершил за свою жизнь. Для меня эта разработка означает все, и во всех странах, где проходили тестирования, все было благополучно. Последние исследования должны были проводиться здесь, и я приехал, чтобы лично узнать результаты.

Основываясь на данных этих тестов, мы намеревались просить у ФДА разрешения на проведение испытаний на людях. Наши лаборатории уже осуществляют последние шаги по разработке препарата, и вплоть до сего момента он проявлял себя безупречно. Но тесты парижских лабораторий показывают нечто совсем другое. Они еще не закончены, но, когда я приехал сюда вчера, глава нашего французского филиала объявил мне, что с лекарством могут быть серьезные проблемы. Грубо говоря, вместо панацеи, способной спасти человеческую расу, оно может стать убийцей. Подробности я узнаю только в конце недели, но я боюсь, что это будет крушение мечты или начало нового витка многолетних испытаний. И если все сложится именно так, мне нужно будет, вернувшись домой, рассказать директору нашей компании, который волей обстоятельств еще и мой тесть, о том, что наша разработка либо ляжет на полку, либо вообще уйдет коту под хвост. Надо ли говорить, что это будет малоприятный разговор?

Заинтригованная его рассказом, Оливия взглянула на него и кивнула:

— И сомневаться не приходится. А вы сказали ему о том, что услышали вчера?

Она была уверена, что он уже всем поделился со своим шефом, и для нее это был почти риторический вопрос, поэтому она особенно удивилась, когда он с виноватым видом покачал головой.

— Я не хочу рассказывать что-либо, пока у меня не будет полной информации, — ответил Питер уклончиво, глядя ей прямо в глаза.

— Да, вам придется ждать целую неделю, — сочувственно промолвила Оливия, понимая, насколько важно для него все это. — А что сказала ваша жена? — Она произнесла эти слова так, словно считала само собой разумеющимся, что другие люди в отличие от нее наслаждаются своими супружескими отношениями. Каким образом она могла знать о том, что именно этот человек, Питер Хаскелл, не может сказать своей жене ни слова без того, чтобы это не стало известно ее отцу? Ответ Питера поразил ее.

— Я не говорил ей, — тихо ответил он, и Оливия с изумлением посмотрела на него.

— Не говорили? Почему? — Вообразить причину было трудно.

— Это долгая история. — Он смущенно улыбнулся Оливии, все еще разглядывавшей его с любопытством. В его глазах мелькнул слабый отблеск одиночества и разочарования. — Она очень близка со своим отцом, — продолжал он, тщательно подбирая слова. — Ее мать умерла, когда она была совсем маленькой, и он вырастил ее один. Кэти рассказывает ему все.

Снова посмотрев на Оливию, Питер увидел, что она прекрасно понимает его.

— Даже то, что вы говорите ей по секрету? — недоверчиво переспросила она.

— Даже это, — улыбнулся Питер. — У Кейт нет тайн от отца.

Сердце его сжалось, когда он произносил эти слова. К его собственному удивлению, сейчас это раздражало его больше, чем когда-либо.

— Вам, наверное, это не слишком-то приятно?.. — сказала Оливия, пытаясь по его глазам понять, счастлив он или нет. Казалось, он хотел продемонстриро-

вать ей, что преданность его жены своему отцу была
не только приемлема для него, но и совершенно нор-
мальна. Но взгляд его свидетельствовал о другом.
Интересно, об этом ли он думал, когда говорил о
том, что в любой шкуре иногда бывает тяжко? Оливии, ставившей неприкосновенность частной жизни,
скромность и верность превыше всего, обстоятельства Питера казались совсем несладкими.

— Не знаю, так сложилось, — столь же откровенно сказал Питер. — Я уже давно с этим смирился и не считаю, что они в каком-то заговоре против
меня. Но это означает, что временами я просто не
могу поделиться с ней всем, что меня волнует. Они
чрезмерно привязаны друг к другу.

Оливия вдруг решила перевести разговор на другую тему, щадя его чувства. У нее и в мыслях не
было снимать этот защитный слой или причинять ему
боль, указывая на то, насколько недопустимым было
поведение его жены. В конце концов, она совершенно
его не знала и не имела на это никакого права.

— Наверное, сегодня, когда вы весь день волно-
вались, как пройдут ваши тесты, и не имели возможности поделиться своими тревогами с кем бы то ни
было, вам было очень одиноко?

Она смотрела на него с сочувствием. И те слова, которые она говорила, проникали Питеру прямо в сердце. Они обменялись теплыми, понимающими улыбками — ведь каждый из них нес на своих плечах тяжкое бремя.

— Я пытался занять себя целый день, — тихо сказал он. — Я отправился в Булонский лес и наблюдал там за играющими детьми, прогулялся вдоль Сены, побывал в Лувре, потом вернулся в отель и работал, пока не началась тревога. — Питер усмехнулся: — А теперь-то уж я точно могу сказать, что день прожит не зря.

Между тем начинался новый день. Было почти пять часов утра, и оба понимали, что уже давно должны были вернуться в отель. После этого они проговорили еще полчаса и лишь в полшестого неохотно поднялись из-за столика и отправились искать такси. Взявшись за руки, словно подростки на первом свидании, они брели по Монмартру: она — в своем спортивном джемпере, он — в рубашке с короткими рукавами. Им было удивительно хорошо друг с другом.

— Как странно иногда складывается жизнь, правда? — сказала Оливия, и счастье играло у нее в глазах, когда она посмотрела на него, думая об Агате Кристи и спрашивая себя, совершала ли та подобные или даже еще более смелые поступки во время своего исчезновения. После своего возвращения знаменитая писательница не дала никаких объяснений. — Ты думаешь, что совершенно одинок, а потом вдруг из тумана неожиданно выходит кто-то, и одиночеству приходит конец.

Она никогда даже и не мечтала о том, чтобы встретить такого человека, как Питер. А он, в свою очередь, чувствовал, как она нуждается в понимании и тоскует по простой человеческой дружбе.

— Как хорошо будет вспоминать это в трудные моменты! Никогда не знаешь, что ждет тебя за углом, — сказал Питер, улыбаясь ей.

— Я больше всего боюсь, что за углом окажутся президентские выборы или, хуже того, еще одна пуля маньяка. — Это была ее самая тайная мысль, связанная с мрачными воспоминаниями об убийстве ее деверя. Было ясно, что в свое время она очень любила Энди Тэтчера, а теперь ее чрезвычайно угнетало то, что жизнь так жестоко обошлась с ними, заставив их испытать столько ужасных потрясений. В какой-то степени Питеру было жалко их обоих, но осо-

бенно Оливию. Он никогда не видел, чтобы кто-
нибудь игнорировал другого человека так, как Энди
Тэтчер игнорировал свою жену. Он был совершенно равнодушен к ней, как будто ее вообще не существовало. И еще он, казалось, заражал этим
безразличием своих помощников. Может быть, она
и на самом деле была для них всего лишь украше-
нием.

— А вы? — спросила она Питера, вспомнив все,
что он ей рассказал. — Что будет, если в ходе тестирования выяснится, что ваш продукт не оправдал
себя? Что с вами сделают в Нью-Йорке?

— Повесят за ноги и освежуют, — мрачно усмехнулся Питер, а потом снова посерьезнел: — Да,
мне будет нелегко. Мой тесть собирается в этом году
оставить свой пост — отчасти из-за того, что он мне
очень доверяет, — но я не думаю, что он сделает
это, если мы вынуждены будем отказаться от разработки этого препарата. Будет тяжело, но я знаю, что
должен это выдержать.

Он не договаривал, что больше всего ему хотелось спасти людей, которые умирали той же смертью,
что его мать и сестра много лет назад. И именно это,
а не прибыль и не реакция Фрэнка Донована было

для Питера самым важным. А теперь они могли потерять все. Его убивала одна мысль об этом.

— Хотела бы я иметь вашу смелость, — печально произнесла Оливия, и выражение ее глаз было таким же, как в день их первой встречи, — это была скорбь, которой не было предела.

— Нельзя убежать от того, что вы должны пережить, Оливия.

— А что, если ваше выживание будет зависеть от того, сможете ли вы убежать? — спросила она, серьезно глядя на него, и Питер положил ей руку на плечо.

— Вы должны все как следует взвесить, прежде чем пойти на такое, — столь же серьезно ответил он, изо всех сил желая ей помочь. Она явно отчаянно нуждалась в друге, и Питеру очень хотелось бы стать ей другом больше, чем на несколько часов. Но он прекрасно сознавал, что, как только они расстанутся у отеля, он никогда не сможет позвонить ей, не говоря уже о том, чтобы увидеть ее.

— Я думаю, что уже все взвесила, — тихо произнесла она. — Но я еще не готова.

Это было болезненно честное заявление. Но она должна была принять решение.

— И куда вы направитесь? — спросил Питер, останавливая такси. Он решил ехать в отель окружным путем, через рю Кастильоне, потому что никто не знал, вошли ли люди внутрь или они все еще ожидают на площади.

Для Оливии последний вопрос ее спутника оказался на удивление простым. Она знала место, где ей всегда будет хорошо.

— Много лет назад я в течение года училась в колледже рядом с небольшой рыбацкой деревушкой на юге Франции. Я обнаружила ее в первый же свой приезд, а потом неоднократно уезжала туда на выходные. Там нет никакой роскоши, там все очень просто, но это именно то место, где я всегда чувствую себя собой. После того как умер Алекс, я провела там целую неделю, но страх быть обнаруженной журналистами заставил меня уехать оттуда. Я бы очень не хотела терять эту возможность. Если бы можно было туда сбежать и некоторое время пожить там — может быть, осуществить свою давнюю мечту и написать книгу! Это — волшебное место, Питер. И мне хочется вам его показать.

— Может быть, когда-нибудь это и произойдет, — откликнулся он, обнимая ее за плечи жестом друга. Питер и не пытался как-то приблизить ее к себе или поцеловать. Конечно, он не отказался бы от этого, но из уважения к Оливии и своей жене он запретил себе даже думать об этом. В какой-то степени Оливия была для него фантазией, и он прекрасно понимал, что даже этот ночной разговор станет для него событием, которое он будет носить в себе в течение долгого времени. У него было такое ощущение, как будто это кино. — И как называется это место? — спросил он, и Оливия с улыбкой сказала ему название, словно даря свою величайшую тайну, свой секретный пароль.

— Ла-Фавьер. Это на юге Франции, недалеко от Ка-Бена. Съездите туда, если почувствуете в этом необходимость. Это самое лучшее, что я могу дать кому бы то ни было, — прошептала она, откидывая голову ему на плечо.

Они провели так остаток пути, и Питер без всяких слов понимал, что именно это ей сейчас и нужно. Ему хотелось сказать Оливии, что он всегда будет ее другом, что в любой момент придет ей на помощь, если она будет в нем нуждаться, что она всегда может позвонить ему, но у него не хватало на это смелости, и вместо этого он просто нежно обнимал ее. В какой-то момент его вдруг охватило что-то вроде безумия, и он чуть было не сказал ей, что любит ее. Интересно, когда она в последний раз слышала эти слова? Когда с ней в последний раз обращались с такой же заботой и интересом, какие проявлял сейчас Питер?

— Вы счастливый человек, — тихо произнесла Оливия, когда такси остановилось на рю Кастильоне, в квартале пути от Вандомской площади.

— Почему вы так думаете? — удивленно спросил Питер. Конечно, это было счастье, что он провел с ней почти всю ночь, выслушав ее исповедь и раскрыв свою душу.

— Потому что вы довольны своей жизнью, вы верите в то, что вы сделали, и не сомневаетесь в том, что человек — это достойное создание. Я бы тоже хотела так думать, но у меня уже давно совсем другое мнение на этот счет.

И действительно: ей никогда не везло. Питера сопровождала в жизни удача, Оливию Тэтчер жизнь нещадно била. Впрочем, она поняла, что его брак далеко не такой успешный, как он пытался ей внушить, — может быть, он и сам этого не осознавал. Счастливы слепцы, которые не замечают очевидного, но у ее нового друга нельзя было отнять того, что он

5 *

был искренним, душевно щедрым человеком, что много и самоотверженно работал, что пытался закрыть глаза на то равнодушие, которое питала к нему его жена, и на недопустимое вмешательство в их жизнь его тестя. В глазах Оливии он был везучим человеком, потому что не видел той пустоты, которая его окружала. Возможно, он чувствовал какую-то неудовлетворенность, но не более того. И он был очень добрым и порядочным. От него исходило столько тепла, что даже сейчас, когда над Парижем вот-вот должно было взойти солнце, она не хотела расставаться с ним.

— Мне совершенно не хочется возвращаться, — сонно прошептала она, уткнувшись носом в его белоснежную рубашку. Только сейчас они почувствовали, что их обоих клонит в сон.

— А мне совершенно не хочется с вами расставаться, — честно признался Питер, заставляя себя вспомнить о Кейт. Однако сейчас он хотел быть вместе с этой женщиной, а вовсе не с Кейт. Он никогда не разговаривал ни с кем так откровенно, как сейчас с Оливией: она была такая милая и так хорошо все понимала. Одинокая, израненная, изголодавшаяся по душевному теплу... Как он сможет оставить ее одну?

Питер с трудом вспомнил, почему он должен это сделать.

— Я знаю, что должна вернуться, но я не помню почему. — Оливия сонно улыбнулась, думая о том, как повезло бы репортерам, если бы они застали ее с Питером. Трудно было поверить в то, что они столько времени провели вдвоем на Монмартре. Теперь вернуться в прошлую жизнь было трудно, почти невозможно, но оба понимали, что обязаны это сделать. Питер вдруг понял, что никогда не говорил с Кейт так, как с Оливией. Хуже того, он готов был влюбиться в нее, хотя ни разу пока не поцеловал.

— Нам обоим нужно вернуться, — печально сказал он. — Там, наверное, все сходят с ума и ищут вас. А я должен ждать результатов тестирования по «Викотеку».

Если бы это было не так, он с радостью убежал бы вместе с ней.

— И что дальше? — спросила Оливия. — Ваш мир и мой мир — они пересеклись только на мгновение, и мы должны идти дальше — каждый своим путем. Зачем же строить из себя храбрецов? — Она выглядела и говорила как обиженный ребенок, и Питер не смог сдержать улыбку.

— Я думаю, потому, что мы не можем сойти с пути. И знаете, Оливия, вы гораздо сильнее, чем я.

Питер действительно почувствовал это сегодня ночью, и в глубине его души зародилось глубочайшее уважение к этой хрупкой женщине.

— Нет, — просто сказала она. — Я же не сама себе все это выбрала — просто все сложилось так, как сложилось. Это не храбрость, а просто судьба. — Оливия подняла на него глаза, желая, чтобы он был ее мужем, и сознавая, что этого не будет никогда. — Спасибо, что сегодня пошли за мной... и за чашку кофе.

Она улыбнулась, и Питер коснулся пальцами ее губ.

— Запомните это, Оливия... Всегда, когда вам захочется кофе, я буду с вами. В Нью-Йорке... Вашингтоне... Париже... — Так он предлагал ей свою дружбу, и она это понимала. К сожалению для обоих, это было единственное, на что они могли рассчитывать.

— Я желаю вам удачи с вашим «Викотеком», — сказала Оливия, когда они наконец вышли из машины. — Знаете, если вам суждено помочь всем страдающим от этой болезни, то у вас все получится. Я верю в это.

— Я тоже, — печально откликнулся он, чувствуя, что уже теряет ее. — Берегите себя, Оливия.

Ему хотелось сказать ей столько всего, пожелать ей добра, обнять ее, сбежать с ней в ее рыбацкую деревушку около Ка-Бена. Почему жизнь иногда бывает так несправедлива? Почему она не может просто исчезнуть, как это сделала Агата Кристи?

Они долго стояли на углу, не в силах расстаться, но потом Питер в конце концов сжал ее руку. Оливия свернула к отелю и быстро пересекла площадь — маленькая фигурка в белом джемпере и голубых джинсах. Интересно, встретит ли он ее еще когда-нибудь, думал Питер, следя за ней взглядом. Вполне возможно, что даже в отеле им не суждено больше увидеться. Он медленно пошел за ней и увидел, как Оливия, задержавшись в дверях «Ритца», в последний раз махнула ему рукой. Питер готов был проклинать себя за то, что так и не поцеловал ее.

Глава 4

К своему немалому удивлению, Питер в этот день проспал до полудня, совершенно обессилев после прихода домой в шесть утра. Проснувшись, он мог думать только об одном — об Оливии. Без нее было как-то грустно и тихо. Выглянув в окно, Питер обнаружил, что на улице идет дождь. Ему принесли круассаны с кофе, и он долго не мог все это съесть, гадая, что произошло с ней сегодня утром, когда она вернулась в номер. Интересно, как отреагировал ее муж: разозлился, ужаснулся, извелся от беспокойства или просто переволновался? Он не мог представить себе, чтобы Кэти сделала что-нибудь подобное. Но если бы ему два дня назад сказали, что он проведет ночь в кафе с незнакомой женщиной, он бы рассмеялся этому человеку в лицо.

Как бы ему хотелось снова поболтать с Оливией! Она была так откровенна с ним. Допив наконец кофе, он стал думать о тех словах, которые она говорила о его и своей жизни. Глядя на свой брак ее глазами, Питер вдруг увидел совсем другую перспективу, и смутное недовольство отношениями Кейт с собственным отцом снова зародилось в нем. Они были так близки друг другу, что Питер чувствовал себя отрезанным от них, и его очень больно укололо то, что он не мог сказать Кэти о Сушаре и истинной причине его задержки в Париже.

Странно было думать, что прошлой ночью, разговаривая с совершенно незнакомой ему женщиной, он был способен рассказать ей все. Оливия отнеслась к его словам так сочувственно и была так добра, так легко поняла, насколько мучительно для него это вынужденное ожидание. Ему очень хотелось бы еще раз с ней поговорить. Он долго стоял под душем, потом оделся и понял, что может думать только о ней... о ее глазах... о ее лице... о том задумчивом взгляде, который она бросила в его сторону на прощание, и о той боли, которую он испытал, когда смотрел ей вслед. Все это было так нереально! Когда через час раздался звонок, Питер вздохнул с облегчением. Это была Кэти. Внезапно ему захотелось оказаться рядом с ней, прижать ее к себе, убедиться в том, что она его действительно любит.

— Привет, — сказала жена. У них было семь утра, и голос ее был полный сил и живой. Она явно уже куда-то торопилась. — Как тебе Париж?

Питер мгновение колебался, не зная, что он вправе ей сказать.

— Прекрасно. Я по тебе очень скучаю, — ответил наконец он, и внезапно это ожидание звонка Сушара показалось ему тяжелейшей ношей, а прошедшая ночь — всего лишь иллюзией. А может быть, теперь Оливия стала реальной, а Кэти превратилась в мечту? Он чувствовал усталость, и это его очень смущало.

— Когда ты возвращаешься? — спросила Кейт, делая очередной глоток кофе. Она должна была успеть на восьмичасовой поезд в Нью-Йорк и уже опаздывала.

— Через несколько дней, я надеюсь, — задумчиво ответил Питер. — К концу недели — точно. Сушар задерживается со своими тестами, и я решил подождать. Может быть, это заставит его закончить чуть-чуть побыстрее.

— А в чем дело: что-то важное или просто какая-то техническая заминка? — спросила его жена, и Питеру вдруг показалось, что рядом с ней сидит Фрэнк, ожидая его ответа. Он был уверен в том, что его тесть уже рассказал Кэти о содержании их вчерашнего разговора. Как всегда, Питер знал, насколько осторожен он должен быть во всем, что ей сообщает. Все сказанное немедленно станет известно ее отцу.

— Так, какие-то мелочи. Ты же знаешь, как скрупулезен Сушар, — беспечно откликнулся он.

— Он настоящий зануда, скажу я тебе. Он найдет проблему там, где ее нет и быть не может. Папа сказал, что в Женеве все было хорошо. — Ее голос прозвучал с гордостью и некоторой прохладцей. За последние годы их отношения претерпели странные изменения. Кэти стала менее нежной и более сдержанной с ним, за исключением тех случаев, когда они оказывались наедине и у нее было игривое настроение. И сегодня утром она разговаривала с ним не слишком-то тепло.

— Да, он прав. — Питер улыбнулся, пытаясь представить себе лицо жены, но, к полной неожиданности для себя, мысленно увидел Оливию сидящей на кухне в Гринвиче. Что за странная галлюцинация? Его жизнью была Кэти, а не Оливия Тэтчер. Он вытаращил глаза и уставился на дождь, барабанивший в стекло, пытаясь вернуться в реальность. — Как ты вчера пообедала с отцом? — Он пытался сменить тему, потому что совершенно не хотел говорить с ней о «Викотеке».

— Замечательно! Мы обсуждали предстоящий отдых. Папа попытается прожить с нами все два месяца. — У его жены был очень довольный голос, и Питер заставил себя не думать о том, что́ сказала ему Оливия о его постоянных компромиссах. Он вел такую жизнь вот уже двадцать лет, и ему ничего не оставалось, как продолжать ее.

— Я так и знал, что вы меня бросите в городе. — Он снова улыбнулся и подумал о детях. — Как там мальчики? — По его тону легко можно было понять, как сильно он к ним привязан.

— Они очень заняты, и я их совершенно не вижу. Пэт уже закончил учиться, Пол и Майк приехали домой в тот день, когда ты улетел в Европу, и наш дом опять стал похож на зоопарк. Я все время нахожу там и сям носки и джинсы и пытаюсь подобрать их кеды по парам.

Они оба знали, что им очень повезло и дети у них замечательные. Питеру всегда нравилось проводить с ними время. Услышав о них от Кэти, он внезапно понял, как соскучился.

— Что ты сегодня делаешь? — с грустью в голосе спросил он. Ему предстоял еще один день ожидания звонка от Сушара — у себя в номере, сидя за компьютером.

— Утром я поеду в город на заседание, потом пообедаю с папой и что-нибудь куплю для отдыха. Нужны простыни, полотенца, всякие прочие мелочи...

Она казалась озабоченной и равнодушной одновременно. Питера кольнуло, что она снова встречалась со своим отцом.

— А разве ты уже не обедала с Фрэнком вчера? — нахмурившись, спросил он.

— Да, но сегодня я сказала ему, что еду в город, и он пригласил меня на ленч в своем кабинете. Интересно, о чем еще они говорили?

— А ты? — перебила его мысли Кейт, переводя разговор на него. Питер бездумно рассматривал мокрые парижские крыши. Он любил этот город даже в такую погоду.

— Я поработаю прямо в номере, потому что захватил с собой компьютер.

— Да, жалко мне тебя. Может быть, ты хоть пообедаешь с Сушаром?

Питеру нужно было от него нечто большее, чем просто обед, и ему совершенно не хотелось отвлекать Поля-Луи от его занятий.

— Я думаю, что он очень занят, — рассеянно ответил Питер.

— Ага. Знаешь, я побегу, а то я опоздаю на поезд. Папе что-нибудь передать?

Питер покачал головой, думая о том, что он сам бы позвонил ему или отправил факс, если бы было нужно. Он никогда ничего не передавал Фрэнку через Кэти.

— Не надо. Не скучай там, я скоро вернусь, — сказал он, и в голосе его не было никакого намека на то, что предыдущую ночь он провел, раскрывая свою душу перед совершенно незнакомой женщиной.

— Смотри не перетрудись! — торопливо крикнула в трубку Кэти и дала отбой.

Питер долго сидел на месте, думая о ней. Беседа с женой его совершенно не удовлетворила, что, впрочем, случалось не в первый раз.

Ей было интересно то, что он делает, потому что она вообще была создана для бизнеса. Но во всем остальном у нее совершенно не было на него времени — они никогда не делились друг с другом своими сокровенными мыслями и чувствами.

Иногда Питер спрашивал себя, отчего это происходит: не потому ли, что ей страшно приблизить кого-то к себе больше, чем своего отца? Утратив мать в раннем детстве, она как огня боялась потерь и разлук, поэтому и не могла привязаться ни к кому сильнее, чем к Фрэнку, который, естественно, казался ей идеалом. Питера она тоже очень ценила, но отец все равно был первым. И он ждал от Кэти отдачи, претендуя на ее время, интерес и внимание. Отдавая ей всего себя, он вполне мог рассчитывать на благодарность за такую щедрость. Конечно, Кэти в жизни нужно было многое другое — в первую очередь ее муж и сыновья. И тем не менее Питер подозревал, что она никогда не любила никого так сильно, как своего отца, — даже его и мальчиков, — хотя сама, конечно же, никогда бы в этом не призналась. Когда Кэти казалось, что Фрэнку что-то угрожает, она готова была драться за него как львица. Так надо было относиться к своей семье, а не к отцу, и именно этот неестественный оттенок их отношений всегда раздражал Питера. Привязанность его жены к отцу воистину не знала границ.

Питер просидел за своим компьютером несколько часов и в четыре часа наконец решился позвонить Сушару, сознавая, насколько это глупый поступок. На этот раз Поль-Луи все-таки подошел к телефону, но был с Питером очень краток и сказал, что никаких новостей у него нет. Ведь он же пообещал позвонить тогда, когда будут готовы результаты тестов.

— Я знаю, простите меня... Я просто подумал... — Питер чувствовал, насколько идиотски выглядела эта его нетерпеливость, но «Викотек» значил для него слишком много — больше, чем для кого бы то ни было, и он просто не мог не думать о нем постоянно. О нем — и об Оливии Тэтчер. В конце концов Питер понял, что работать больше не в состоянии, и решил отправиться в бассейн, чтобы хоть немного прийти в себя.

Он искал Оливию в лифте и в самом бассейне. Он пытался найти ее везде, но не видел. Интересно, где она сейчас, что она думает о прошедшей ночи? Для нее это могло стать редким событием, своего рода поворотом судьбы. Питер вдруг обнаружил, что помнит каждое ее слово, каждый ее взгляд, что скрытый смысл того, что она говорила, глубоко захватил его сознание. Огромные карие глаза, невинное лицо, серьезный взгляд — все это не выходило у него из головы. Тоненькая фигурка в белом джемпере... Сеанс плавания не помог избавиться от мыслей о ней, и Питер все в таком же рассеянном и мрачном настроении в конце концов поднялся к себе и включил телевизор. Нужно мысленно переключиться на что-то другое, помимо этой женщины, которую он едва знал, и беспокойства о том, что все его труды, связанные с «Викотеком», пропадут даром из-за испытаний Сушара.

Питер нашел Си-эн-эн и понял, что в мире все идет своим чередом. На Ближнем Востоке опять было неспокойно, в Японии произошло небольшое землетрясение, анонимный звонок о заложенной в Эмпайр-стейт-билдинг в Нью-Йорке бомбе выгнал тысячи перепуганных людей на улицы. Последнее сообщение живо напомнило ему прошедшую ночь, и он снова мысленно увидел Оливию, медленно уходящую с Вандомской площади. Неужели он сходит с ума? Диктор Си-эн-эн только что произнес ее имя, и на экране возникла расплывчатая фотография женщины в белом джемпере, снятой со спины и уходящей прочь, и мужчины, следующего за ней на довольно большом расстоянии. Узнать мужчину по одному затылку было трудно.

«Прошедшей ночью, когда в отель «Ритц» в Париже поступил звонок о заложенной бомбе, исчезла жена сенатора Эндерсена Тэтчера. Последний раз ее видели, когда она уходила с Вандомской площади, а изображенный на фотографии мужчина следовал за ней. О нем, однако, ничего больше не известно, и никто не знает, что это было — злой умысел, план или просто совпадение. Он не был из числа ее телохранителей».

Питер внезапно понял, что на фотографии изображен именно он как раз в тот момент, когда сделал первые шаги вслед за Оливией, но, к счастью, его никто не узнал и опознать его по фотографии было невозможно.

«В последний раз миссис Тэтчер видели примерно в полночь, и больше никаких сообщений о ней не поступало. Ночной портье говорит, что, кажется, видел ее рано утром, но, по другим сведениям, она не возвращалась в отель после того, как была сделана эта фотография. В настоящее время невозможно сказать, что это было — дурная игра или что-то другое.

Возможно, чтобы снять психологическое напряжение, она просто уехала куда-нибудь, например навестить своих друзей или в пригороды Парижа. Однако чем больше времени проходит, тем труднее становится что-либо утверждать. Единственное, что мы знаем наверняка, — это то, что Оливия Дуглас Тэтчер исчезла. Телекомпания Си-эн-эн, Париж».

Питер уставился в экран, не веря собственным ушам. Теперь по телевизору показывали фотографии Оливии, а потом перед камерой возник ее муж, и местный журналист взял у него интервью для англоязычного канала, который смотрел Питер. Репортер предположил, что в течение последних двух лет она находилась в состоянии депрессии из-за смерти своего ребенка. Но Энди Тэтчер отклонил эту мысль. Он совершенно уверен, добавил сенатор, что его жена жива и здорова, а если ее и похитили, то сделавшие это очень скоро свяжутся с ним. Тэтчер казался очень искренним и на удивление спокойным. Глаза были совершенно сухими, и никаких следов паники на его лице не было. Потом корреспондент сообщил, что утром в отель прибыла полиция, чтобы прослушивать телефонные звонки. Глядя на Энди Тэтчера, Питер вдруг подумал о том, что он явно совершенно не беспокоится о том, где его жена. Пытаясь угадать, что же произошло с ней после того, как они расстались, Питер внезапно пришел в ужас.

Около шести утра Оливия на его глазах вошла в отель. Что же произошло с ней потом? Он чувствовал некоторую ответственность за нее и спрашивал себя, не схватили ли ее на пути к номеру. Еще и еще раз проигрывая в уме все возможные варианты, Питер постепенно начал понимать, что стоит на месте. Его очень беспокоил вариант похищения, но он чувствовал, что ошибается. Их разговор об Агате Кристи не выходил у него из головы. Если с ней случилось что-то плохое, он этого не перенесет. Однако чем больше он думал об этом, тем сильнее убеждался в том, что все хорошо. Прошлой ночью Оливия спокойным шагом ушла от всего своего окружения. Что мешало ей поступить так еще раз? Возможно, она просто не смогла снова вернуться к своей жизни, хотя и чувствовала, что обязана это сделать. Но ведь она сама сказала ему, что больше не в состоянии так жить.

Питер стал мерить комнату шагами, раздумывая о ней, и через несколько минут он уже знал, что ему делать. Конечно, это было странно, но если он отвечал за ее безопасность, ему стоило совершить такой шаг. Он должен был сказать сенатору, что он был с ней всю ночь и утром отвел ее в отель. Кроме того, он хотел упомянуть Ла-Фавьер, потому что чем больше Питер думал об этом, тем сильнее убеждался, что она уехала туда, в то место, где, как он инстинктивно чувствовал, она может найти убежище. И хотя он знал Оливию совсем мало, это казалось ему очевидным. Наверняка Энди Тэтчер прекрасно знал, как много значил для его жены Ла-Фавьер, но сейчас он просто забыл об этом. Питер собирался напомнить ему о рыбацкой деревушке и предложить направить туда полицию в поисках пропавшей. И уж если ее там не окажется, тогда не останется никаких сомнений в том, что она попала в беду.

Он не стал терять время на ожидание лифта и ринулся вверх по лестнице до того этажа, где, как ему было известно, обитал сенатор Тэтчер. Прошлой ночью она сказала ему, в каком номере живет, и Питер немедленно заметил полицейских и сотрудников безопасности в коридорах. Они казались подавленными, но не особенно. Даже те из них, кто стоял в непосредственной близости от ее номера, явно не были встревожены. И они тоже заметили приближающегося к ним Питера, респектабельного мужчину в хорошем костюме. Интересно, примет ли его Эндерсен Тэтчер, вдруг подумал он. Ему совершенно не хотелось обсуждать это с кем бы то ни было другим. Странно было признаваться в том, что он в течение шести часов пил с его женой кофе на Монмартре, но Питеру казалось крайне важным быть с ним честным.

Подойдя к двери, Питер спросил, может ли он видеть сенатора. Дежурный телохранитель поинтересовался, знаком ли он с господином Тэтчером, и Питер вынужден был признаться, что нет. Он назвал свое имя, проклиная себя за то, что предварительно не позвонил, но в ту минуту, когда выяснилось, что Оливия сбежала, он так заторопился поскорее поделиться с сенатором своими соображениями о ее местонахождении, что позабыл обо всем остальном.

Телохранитель вошел в номер, и через открытую дверь Питер услышал смех, шум, почувствовал запах дыма. В комнате явно шла оживленная беседа, при желании это можно было принять за вечеринку. Что обсуждали эти люди: где искать Оливию или, как уже заподозрил Питер, предвыборную кампанию и иные политические вопросы?

Через мгновение телохранитель снова возник на пороге и вежливо извинился. К сожалению, у сенатора

Тэтчера переговоры, и не будет ли мистер Хаскелл так любезен, чтобы позвонить позже и обсудить свой вопрос по телефону. Он уверен в том, что мистер Хаскелл его поймет в свете всего того, что произошло. Конечно, поймет, мрачно подумал Питер. Он не мог лишь понять, почему они смеются, почему не суетятся и не паникуют из-за того, что пропала женщина. Неужели она часто так поступает? Или им просто на нее наплевать? Или же они, как и Питер, считают, что она немного устала и решила побыть в одиночестве пару дней, чтобы собраться с мыслями и привести себя в порядок?

Питер чуть было не поддался искушению сказать телохранителю, что у него есть соображения по поводу того, где именно скрывается жена сенатора, но он понимал, что, во-первых, может ошибаться, а во-вторых, с точки зрения постороннего человека, их ночные бдения на площади Согласия будут выглядеть крайне странными.

И почему он вдруг пошел за ней? При желании все это можно было раздуть в грандиозный скандал, как для нее, так и для него. И Питер понял, что не должен был сюда приходить. Ему надо было сначала позвонить, и он вернулся в свою комнату, чтобы сделать это.

Однако на экране телевизора снова были новости Си-эн-эн, и Питер опять увидел ее фотографию. На этот раз журналист говорил о том, что Оливия скорее покончила с собой, чем была похищена, сопровождая свой комментарий фотографиями ее покойного сына и ее самой, плачущей на похоронах. Ее глаза загнанной лошади, смотревшие на него с экрана, заклинали Питера не предавать ее.

Корреспондент уже разговаривал со специалистом по депрессиям, который сообщил о том, что потерявшие надежду люди иногда совершают безумные поступки и что с Оливией Тэтчер могло произойти именно это, когда умер ее ребенок.

Питеру захотелось запустить чем-нибудь тяжелым в этих людей. Что они могли знать о ее боли, ее жизни, ее печали? Какое право они имели разбирать ее по косточкам? На экране между тем мелькали ее свадебные фотографии, а также репортаж о похоронах брата Энди, убитого через полгода после свадьбы будущего сенатора с Оливией.

Питер взял в руки телефон, в то время как журналисты говорили о трагедиях, преследующих семью Тэтчеров, начиная с убийства Тома Тэтчера шесть лет назад и смерти ребенка до трагического исчезновения Оливии Тэтчер. Да, это событие уже называли трагическим.

Телефонистка спросила Питера, чем она может помочь, и он уже готов был попросить ее соединить с номером Тэтчера, но потом внезапно понял, что не может это сделать. Еще рано. Сначала он должен был убедиться сам. И если он не найдет ее там, где собирался искать, тогда будет ясно, что с ней что-то произошло, и тогда нужно будет позвонить Энди как можно скорее. На самом деле он ничем не был ей обязан, но после проведенной вместе ночи ему казалось, что он должен молчать. Единственное, на что оставалось надеяться, — это на то, что он не рискует ее жизнью, не решаясь ни с кем поделиться своей информацией.

Он положил трубку и услышал, как диктор Си-эн-эн говорил о том, что журналисты до сих пор не добились от родителей пропавшей, губернатора Дугласа и его жены, никаких комментариев по поводу исчезновения их дочери в Париже. Голос из динамика продолжал вещать, и Питер ринулся к шкафу за своим свитером. Он надеялся, что взял с собой джинсы, но это, увы, оказалось не так — на переговорах одежда такого рода была ни к чему.

Потом он позвонил портье и выяснил, что самолетов на Ниццу больше нет, а последний поезд отходит через пять минут. Тогда Питер попросил машину в аренду и карту юга Франции. Ему предложили шофера, но Питер сказал, что сядет за руль сам, хотя, конечно, поездка с водителем была бы быстрее и легче, однако жертвовать своим правом на одиночество ему не хотелось. Портье сказал, что через час все будет готово и Питеру только нужно спуститься вниз к машине у парадного входа.

В восемь часов он обнаружил у подъезда отеля новенький «рено» с кипой карт на переднем сиденье. Швейцар очень вежливо объяснил Питеру, как ему выехать из Парижа. Никакого багажа у него с собой не было — только яблоко, бутылка минеральной воды и зубная щетка.

Обойдя машину сзади, Питер понюхал воздух, и ему почудился запах охоты. Портье сказал Питеру, что при желании он может оставить машину в Ницце или Марселе и вернуться в Париж самолетом. Но это произойдет только в том случае, если он не найдет ее. Если же она окажется там, где он ожидал, то ему больше всего хотелось, чтобы она поехала обратно вместе с ним. По крайней мере тогда они смогут поговорить. Оливии явно было над чем задуматься, и, может быть, он сумеет помочь ей привести мысли в порядок.

Несмотря на вечернее время, движение на шоссе дю Солейль все еще было очень оживленным, и только близ Орли поток транспорта начал оскудевать.

Питер набрал скорость и через два часа был уже у Пуильи. В душе его вдруг разлилось спокойствие. Непонятно почему у него сложилось такое впечатление, что он поступает правильно. Впервые за последние несколько дней Питер почувствовал себя свободным от всех хлопот и беспокойств. Ночь проносилась мимо него, и стрелка спидометра дрожала на высокой отметке, и все беды остались позади.

Прошлой ночью ему было так хорошо с ней — словно он нашел друга в самом неожиданном месте. Питер смотрел на дорогу и видел лицо Оливии, ее глаза, ищущие его, как в первый раз, когда он ее увидел. Он вспоминал, как она уплыла от него в бассейне, словно маленькая гибкая черная рыбка... и как она бежала через Вандомскую площадь к свободе... как в ее глазах застыло выражение безнадежности, когда она вернулась в отель... и как умиротворенно она говорила о маленькой рыбацкой деревушке.

Конечно, гнаться за ней через всю Францию было безумием, и Питер это прекрасно понимал. Он был едва знаком с ней. И тем не менее, так же как и предыдущей ночью, когда он пошел за ней вопреки всякому здравому смыслу, он знал, что должен это сделать. По причинам, которые он сам едва осознавал, именно Питер должен был найти Оливию.

Глава 5

Дорога в Ла-Фавьер была долгой и изматывающей, но так как «рено» позволял достичь огромной скорости, Питер приехал туда быстрее, чем предполагал, — ровно за десять часов. Было шесть часов утра, и солнце уже встало. Яблоко давно было съедено, и полупустая бутылка из-под минеральной воды валялась на сиденье рядом с ним. Один или два раза он останавливался выпить кофе, и радио в машине все время было включено, чтобы не дать ему заснуть. В открытые окна врывался свежий воздух. И все равно Питер чувствовал полное изнеможение. Он не спал уже вторую ночь, и его радость по поводу того, что он наконец оказался на месте, понемногу начала спадать. Нужно было поспать хотя бы час, прежде чем начинать поиски. В любом случае искать Оливию было еще слишком рано. За исключением рыбаков, отправлявшихся на промысел, в Ла-Фавьере все спали. Питер свернул на обочину и устроился на заднем сиденье, специально приняв такую позу, чтобы проспать недолго.

В девять часов его разбудили голоса детей, игравших около машины. Где-то высоко кричали чайки. Сев, Питер почувствовал приступ смертельной усталости. Его ночной путь был слишком длинным. Но если он ее найдет, все это будет не важно. Потянувшись, он взглянул на себя в зеркало и невольно улыбнулся: вид у него был ужасный, так что он вполне мог напугать детей.

Питер причесался, почистил зубы и прополоскал их остатками минеральной воды. В результате из машины вышел респектабельный и солидный мужчина. Он понятия не имел, откуда имеет смысл начинать поиски. Вслед за детьми он дошел до кондитерской, купил себе пирожное и вернулся на взморье. Рыбацкие лодки уже отошли от берега, маленькие катера и шхуны стояли в порту, и старики, собравшись в группы, обсуждали новости, в то время как более молодые люди ловили рыбу. Солнце уже поднялось достаточно высоко, и, оглядевшись, Питер понял, что Оливия была права. Это было идеальное место для того, чтобы сбежать, — удивительно красивое, оно, казалось, дышало редкостным теплом, подобно объятиям старого друга. От пристани начиналось длинное песчаное побережье.

Питер дожевал свое пирожное и медленно пошел вдоль кромки воды, мечтая о чашечке кофе. Пройдя изрядное расстояние, он разомлел от солнца и близости моря и присел на скалу, думая об Оливии, о том, рассердится ли она, когда увидит его (если она, конечно, здесь).

Вдруг он увидел приближающуюся к нему девушку — босоногую, в шортах и футболке, маленькую и хрупкую, с темно-русыми волосами, развевавшимися на ветру. Она взглянула на него и улыбнулась, и Питер уставился на нее, не в силах сказать ни слова. Да, так и должно было быть — просто, без всяких усилий. Она была здесь, она улыбалась ему, стоя на песке, как будто ждала его появления. И потом Оливия Тэтчер подошла к нему совсем близко, и ее улыбка была предназначена только ему.

— Я не думаю, что это совпадение, — тихо сказала она, садясь рядом с ним на скалу. Питер все еще пребывал в ошеломленном состоянии и даже не пошевелился. Он был слишком потрясен тем, что все-таки нашел ее.

— Вы сказали мне, что вернетесь, — сказал он, погружая взгляд в ее бархатные глаза, в которых не было ни тени гнева или удивления. Оливия держалась абсолютно естественно и легко.

— Я хотела и должна была вернуться. Но когда я попала в отель, то поняла, что просто больше не могу, — печально ответила Оливия. — Откуда вы узнали, где я? — мягко добавила она.

— Я видел это по Си-эн-эн, — улыбнулся Питер, и Оливия посмотрела на него с ужасом:

— Что я здесь?

Питер рассмеялся:

— Нет, милая. По телевизору сказали только то, что вы пропали. Я целый день думал о том, что вы вернулись в свою жизнь жены сенатора, а в шесть часов включил новости и сразу же наткнулся на сообщение о вас. Все считают, что вас похитили: кто-то сфотографировал меня, когда я шел за вами по Вандомской площади как ваш возможный похититель, но, к счастью, на фото ничего не видно.

Он улыбался. Ситуация была немного абсурдной и безумной. Питер не стал говорить ей о сообщениях о ее депрессии.

— Господи, а я и не думала, — задумчиво ответила Оливия. — У меня была мысль оставить Энди записку, что вернусь через несколько дней. Но в конце концов я решила и этого не делать и просто уехала. На поезде. И оказалась здесь.

Питер кивнул, все еще пытаясь разобраться в том, что же его сюда привело. Вот уже второй раз он следовал за ней, движимый силой, ни объяснить, ни побороть которую он был не в состоянии. Они молча и не шевелясь смотрели друг другу в глаза. Питер ласкал ее взглядом, но никто из них не сделал попытки прикоснуться друг к другу.

— Я рада, что вы приехали, — просто сказала Оливия.

— И я тоже... — Внезапно Питер снова почувствовал себя мальчишкой. Ветер развевал его темные волосы, и он не успевал убирать их с глаз цвета летнего неба. — Я не был уверен в том, что вы не разозлитесь, когда я вас найду.

Именно это больше всего беспокоило его на пути из Парижа. Она могла подумать, что с его стороны это непростительное вмешательство в ее жизнь.

— Как я могла? Вы были так добры ко мне... выслушали меня... помогли...

Она была явно ошарашена тем, что он ее здесь нашел, что ему вообще было до нее дело. От Парижа до этого места было очень далеко. Внезапно она вскочила на ноги, сразу сделавшись похожей на маленькую девочку, и протянула ему руку:

— Пойдемте позавтракаем куда-нибудь. Вы, наверное, умираете с голоду после долгой дороги.

Взявшись за руки, они медленно пошли прочь. Узкие и изящные ступни Оливии осторожно ступали по раскаленному песку.

— Вы очень устали?

Питер снова рассмеялся, вспоминая свое изнеможение в тот момент, когда он приехал.

— Нет, я уже отдохнул. Добравшись до Ла-Фавьера, я проспал примерно три часа, когда приехал. Когда вы рядом, мне не нужно много спать.

Они вошли в маленький ресторан и заказали омлеты, круассаны и кофе. Это была ароматная, роскошная еда, и Питер с аппетитом набросился на нее.

Оливия ела медленно, запивая свой завтрак крепким черным кофе.

— Я все еще не верю, что вы сюда приехали, — тихо произнесла она. Она выглядела умиротворенной, но немного печальной. Энди никогда бы ничего подобного не сделал. Даже в самом начале их отношений.

— Я пытался сказать вашему мужу о том, что вы здесь, — честно признался Питер, и Оливия страшно разволновалась:

— Что? Вы сказали ему, где я, по-вашему, нахожусь?

Ей совершенно не хотелось, чтобы Энди приехал сюда. В том, что здесь оказался Питер, не было ничего плохого. На самом деле она была даже рада видеть его тут, но к встрече с Энди она была совершенно не готова. Именно он и был основной причиной ее побега.

— В итоге я ничего ему не сказал, — быстро успокоил ее Питер. — Я хотел, но меня не пустили в ваш номер. Там была тайная полиция, телохранители, и у меня сложилось впечатление, что у них там какие-то переговоры.

— Я уверена, что это не имеет ко мне никакого отношения. У Энди сверхъестественное чутье на такие вещи, и он точно знает, когда надо беспокоиться, а когда нет. Поэтому-то я и не стала оставлять ему записку. Я понимаю, что, может быть, была не права, но он знает меня достаточно хорошо, чтобы чувствовать, что со мной все в порядке. Я не думаю, что он действительно верит в версию о похищении.

— Мне тоже так показалось, когда я стоял под дверью вашего номера, — медленно произнес Питер. Там не было и следа паники, которую можно было бы ожидать, если бы она действительно оказалась в опасности. Питер быстро понял, что Эндерсен Тэтчер не слишком волнуется, и именно это заставило его приехать сюда. — Вы не хотите позвонить ему, Оливия? — обеспокоенно спросил он, считая своим долгом хотя бы предложить ей это.

— Со временем я это сделаю. Но еще не знаю, что ему скажу. И не уверена в том, что должна вернуться, хотя на короткое время мне скорее всего придется это сделать. Я должна ему кое-что объяснить.

Но что объяснять: что она больше не хочет с ним жить, что когда-то она любила его, а теперь все прошло, что он не оправдал ее надежд, ее ожиданий? Возвращаться ей было некуда. Оливия поняла это ночью, когда вставила ключ в дверь и почувствовала, что просто не может повернуть его. Она должна была сделать давно задуманное — оставить его. Оказалось, что для него она больше ничего не значит уже много лет. Бо́льшую часть времени он совершенно не замечал ее существования. Теперь это стало окончательно ясно.

— Вы хотите от него уйти? — осторожно спросил Питер, когда они закончили есть. Это было совершенно не его дело, но ведь он проехал десять часов на машине только для того, чтобы убедиться, что она жива и здорова. Это давало ему право по крайней мере на минимум информации, и она это прекрасно сознавала.

— Да, наверное.

— Вы уверены? В том мире, в котором вы вращаетесь, это может вызвать сенсацию.

— Не бо́льшую, чем если меня здесь обнаружат в вашем обществе, — засмеялась Оливия, заставив своего собеседника поперхнуться. Спорить с этим было трудно. Его собеседница вновь посерьезнела. — Скандал меня не пугает. Это просто хлопушка, как детские игрушки во время Хэллоуина. Дело не в этом. Политика — это не для меня. Мне многое уже пришлось выдержать, и я знаю, что говорю. Президентские выборы я просто не переживу.

— Вы думаете, что в следующем году он будет рваться в Белый дом?

— Возможно. Даже более чем вероятно. Но если он пойдет на это, я не смогу быть с ним рядом. Да, я перед ним в долгу, но не до такой степени. Он хочет от меня слишком многого. Когда мы встретились, у нас были верные представления о жизни, и я знаю, что Алекс тоже много для него значил, хотя он никогда не был рядом, когда его сын и я в нем нуждались. Но в большинстве случаев я готова была его понять.

Я думаю, перемены начались, когда погиб его брат. В нем что-то словно отмерло после этого. Ради политики Энди отринул все, чем он был и что его волновало. А я так не могу. И не понимаю, почему я обязана делить с ним эту тяжесть. Я не хочу оканчивать свои дни так же, как моя мать, которая постоянно пьет, страдает от мигреней, ночных кошмаров, ужаса перед журналистами. У нее все время трясутся руки, и она больше всего на свете боится скомпрометировать моего отца. Никто не может все время жить в таком напряжении. Она очень изменилась внутренне, но выглядит она всегда потрясающе. Макияж, пластические операции — все это скрывает ее страх. Папа таскает ее с собой на все свои встречи, лекции, публичные выступления и турне. Если бы мать могла говорить правду, она бы призналась, что ненавидит его за все это, но она никогда так не поступит.

Он разрушил ее жизнь. По-хорошему, нужно было уходить от него много лет назад, и если бы она это сделала, ей, возможно, удалось бы остаться цельным человеком. У меня такое ощущение, что она не пошла на развод по единственной причине — чтобы не провалить ему выборы.

Питер слушал ее с серьезным лицом, глубоко задетый ее словами.

— Если бы я знала, что Энди будет заниматься политикой, я бы никогда не вышла за него замуж. Я сама виновата: должна была бы догадаться, — печально закончила Оливия.

— Но вы же не могли знать, что его брата убьют и он сам в это втянется! — сказал Питер, пытаясь оставаться справедливым.

— Может быть, я просто ищу оправдания, а на самом деле все развалилось бы и без того. Кто знает!.. — Она пожала плечами и отвернулась к окну. Рыбацкие шхуны доплыли едва ли не до горизонта, став похожими на игрушечные кораблики. — Здесь так красиво... Если бы я могла жить в этом месте всегда!

Она говорила так, как будто действительно задумала это.

— Правда? И если вы уйдете от него, вы приедете сюда?

А он, сидя холодными зимними вечерами на кухне в Гринвиче, будет представлять ее себе — на песчаном берегу, в шуме прибоя.

— Может быть, — ответила она, все еще не уверенная до конца в своих намерениях. Все равно ей придется вернуться в Париж и поговорить с Энди, хотя ей совершенно не хотелось это делать. Поскольку миф о ее похищении будет развиваться своим чередом в течение двух дней, можно себе представить, в какой цирк превратит сенатор возвращение своей жены.

— Вчера я говорил с Кейт, — тихо сказал Питер, прерывая размышления Оливии о муже. — Это был несколько странный разговор после всего того, о чем мы с вами беседовали прошлой ночью. Я всегда защищал все ее действия... и ее отношения с отцом, хотя они мне и не очень нравились. Но после ночи на Монмартре меня это стало крайне раздражать.

Он чувствовал, что может быть с ней совершенно откровенен и говорить обо всем, что думает. У Оливии была открытая, глубокая душа; она вела себя очень тактично, стараясь не ранить его, и Питер чувствовал это.

— Позавчера она обедала с ним. Вчера — совместный ленч. Этим летом она хочет провести с ним два месяца неразлучно. Иногда мне кажется, что она вышла замуж за него, а не за меня. По-моему, я всегда это чувствовал. Единственное, чем я себя утешал, — это тем, что у нас все складывается хорошо, что у нас замечательные сыновья и ее отец дал мне полную свободу в том, что касается бизнеса.

Как ни странно, произнося эти слова, Питер вдруг почувствовал, что эти казавшиеся ему столь значительными плюсы их с Кейт жизни на самом деле не имеют такой огромной ценности.

— Он действительно дает вам полную свободу? — Оливия задала этот вопрос в лоб, чего она не осмеливалась делать во время их разговора в Париже. Но на этот раз Питер сам заговорил на эту тему. И теперь они знали друг друга гораздо лучше. Его приезд в Ла-Фавьер сблизил их.

— В большинстве случаев — да. Чаще всего.

Питер замолчал, потому что они ступили на опасную почву. Она была готова уйти от Энди по своим собственным причинам, но Питер не имел никакого желания разрушать корабль своей семейной жизни. В этом он совершенно не сомневался.

— А если испытания «Викотека» будут неудачными? Что тогда будет делать Фрэнк?

— Я надеюсь, что он не откажется от него. Нам нужно будет только провести дополнительные исследования, хотя это, конечно же, обернется огромными расходами.

Говоря это, он многое замалчивал, но и на самом деле трудно было представить, что Фрэнк пойдет на попятную. Он считал «Викотек» блестящим проектом. Просто нужно будет сообщить в ФДА, что они не готовы.

— Все мы иногда идем на компромиссы, — тихо произнесла Оливия. — Проблемы начинаются тогда, когда мы думаем, что их слишком много. Может быть, так было и в вашем случае? Или для вас это не имеет значения до тех пор, пока вы счастливы?

Глаза Оливии расширились. Сейчас она спрашивала его не как женщина, а как друг.

— Наверное, — несколько озадаченно ответил Питер. — Я всегда так думал, Оливия, но если быть честным, то, слушая вас, я снова задаю себе этот вопрос. Я уступал ей во многом — где жить, где должны учиться мальчики, где проводить отпуск. Всякий раз я думал: а какая разница? Может быть, проблема во мне. И я бы, наверное, не придавал этому значения, если бы Кэти была со мной в трудные минуты, но вчера, слушая ее, я понял, что ей до меня нет никакого дела. Она либо на каком-нибудь заседании комитета, либо занята работой по дому, либо общается с отцом. Так было всегда, по крайней мере с того момента, когда дети отправились в интернат, или даже раньше. Но я был так занят, что совершенно не замечал этого. И теперь — абсолютно неожиданно — после восемнадцати лет мне не с кем поговорить. И вот, оказавшись во французской деревушке, я говорю с вами о том, чем никогда не мог бы поделиться с ней... потому что я не могу ей доверять. Для меня это очень тяжелое признание, — печально продолжал он, — но все же... — Он со значением посмотрел на Оливию и взял ее руку в свои. — Я не хочу расставаться с ней. И даже никогда об этом не думал. Я не могу вообразить себе жизни отдельно от нее и наших детей... Но я внезапно понял то, чего никогда не знал или в чем боялся себе признаться. Я стал совершенно одиноким человеком.

Оливия тихо кивнула. Ей было хорошо знакомо это чувство. Обо всем этом нетрудно было догадаться еще во время разговора с Питером в Париже. Но тогда она была уверена в том, что он этого не сознает. Все просто шло своим чередом, пока он неожиданно для себя не оказался в месте, о существовании которого до вчерашнего дня и не подозревал. Питер посмотрел на Оливию с подкупающей искренностью:

— Что бы я ни чувствовал и как бы себя ни вел, я не уверен, что у меня хватит сил расстаться с ней. В этой истории еще столько всего нужно распутать...

Одна мысль о том, чтобы начать жизнь сначала, угнетала его.

— Это будет нелегко, — мягко сказала Оливия, думая о себе и все еще держа его за руку. То, что он говорил, не могло ухудшить ее мнение о нем. Наоборот, в душе ее только крепло уважение к нему за то, что он способен в этом признаться. — Мне на вашем месте тоже было бы трудно. Но вы по крайней мере можете сказать, что вели с ней совместную жизнь, пусть она в какой-то момент и треснула. Она рядом, она разговаривает с вами, она по-своему заботится о вас, даже если эта забота ограниченна или она слишком привязана к своему отцу. Но ведь Кейт хранит преданность вам и вашим детям. Вы живете вместе, Питер, пусть даже эта жизнь далека от совершенства. У нас с Энди нет ничего. И не было в течение многих лет. Он покинул меня почти в самом начале.

Питер подозревал, что это более чем правда, и не пытался защищать его.

— Тогда вам, может быть, стоит оставить его.

Он чувствовал, что судьба Оливии волнует его, потому что она казалась такой ранимой и хрупкой. Ему не хотелось оставлять ее одну, даже здесь, в этой забытой Богом деревушке. Расстаться с ней навсегда? Это невозможно себе представить. Всего за два дня она стала для него очень важным человеком, и он не мог себе представить жизнь без разговоров с ней. Легенда, на которую он натолкнулся в лифте отеля, обрела плоть.

— А почему бы вам не поехать на время к родителям, подождать, пока все успокоится, а потом вернуться сюда?

Он пытался как-то помочь ей, придумать какие-то варианты, и Оливия улыбнулась. Теперь они действительно стали друзьями — сообщниками по преступлению.

— Может быть, вы правы. Я не уверена в том, что у моей матери хватит сил справиться со всей этой ситуацией, в особенности если отец попытается бороться со мной и встанет на сторону Энди.

— Вот это новость! — неодобрительно сказал Питер. — И вы думаете, что он так и поступит?

— Может быть. Политики, как правило, держатся друг за друга. Мой брат соглашается со всем, что делает Энди, просто из принципа. А отец всегда поддерживает его. Им это очень удобно, а нам — противно. Мой отец считает, что Энди должен баллотироваться в президенты. Поэтому я не думаю, что папа одобрит мое дезертирство. Это повредит Энди или вообще лишит его шансов на победу. Разведенный президент — это немыслимо. Я-то думаю, что таким образом я только окажу ему услугу, потому что работа президента — это кошмар. Жизнь в аду.

Я в этом абсолютно не сомневаюсь. А меня это просто убьет.

Питер кивнул, удивляясь тому, что он все это с ней обсуждает. Несмотря на то что его жизнь, особенно в последнее время, когда начались эти проблемы с «Викотеком», стала достаточно сложной, по сравнению с ее существованием она была проще некуда. По крайней мере в его частную жизнь никто не лез. А каждое движение Оливии становилось достоянием публики. И в его семье никто не намеревался заниматься общественной деятельностью за исключением Кейт с ее комитетами. Оливия, наоборот, была связана родственными узами и с губернатором, и с сенатором, и с конгрессменом, а в будущем — возможно, и с президентом, в том случае если она не уйдет от своего мужа.

— И вы думаете, что сможете остаться его женой — я имею в виду, если он будет баллотироваться?

— Я не знаю. Это будет настоящее предательство с его стороны. Но все возможно. Конечно, если я сойду с ума или если он свяжет меня и запрет в шкафу, я останусь с ним. Он сможет сказать окружающим, что я впала в спячку.

Питер улыбнулся, расплатился за неожиданно дешевый завтрак, и они не спеша вышли из ресторана, держась за руки.

— Если он так поступит, то я снова приду вас спасать, — усмехнувшись сказал он.

Они уселись на низкой пристани, болтая ногами. На нем все еще была белая рубашка и брюки от костюма, что рядом с шортами и голыми ногами Оливии выглядело несколько смешно.

— Так вот ради чего вы приехали? — спросила она, кладя голову ему на плечо. — Чтобы спасти меня?

На лице ее было написано удовольствие. Уже много лет ее никто не спасал, и это был достойный жест.

— Я думал, что я... вы знаете, вам грозила опасность. Я имею в виду похитителя или террориста — в общем, того парня в белой рубашке, который пошел за вами на Вандомской площади. Он показался мне очень подозрительным типом, и я решил, что самое время вас спасать.

Питер улыбался, купаясь в лучах горячего солнца. Они сидели рядышком, словно загорающие дети.

— Мне нравится такая погода, — сказала она и предложила вернуться на побережье. — Мы можем пойти в гостиницу, переодеться и искупаться.

Питер только рассмеялся. Его наряд явно не подходил для плавания.

— А мы можем купить вам шорты или плавки. Стыдно упускать такую погоду.

Питер задумчиво посмотрел на нее. Конечно, было стыдно упускать множество всего, помимо погоды, но существовали определенные границы, выходить за которые было нельзя.

— Я должен возвращаться в Париж. На дорогу сюда я потратил почти десять часов.

— Не будьте смешным. Неужели вы проделали такой путь только ради завтрака со мной? Кроме того, вам нечего делать в Париже, кроме как ждать звонка от Сушара, который может и вовсе не объявиться сегодня. Вы можете позвонить в «Ритц» и оставить сообщение или связаться с ним отсюда.

— Да, вы хорошо придумали, — сказал он, смеясь над тем, как быстро она расправилась с его обязанностями.

— Возьмите номер в гостинице, где я живу, а завтра мы оба отсюда уедем, — продолжала Оливия как ни в чем не бывало. Она явно решила отложить свой отъезд еще на день, но Питер вовсе не был уверен в том, что должен позволять ей это, хотя ее приглашение было более чем соблазнительно.

— А вам не кажется, что стоит по крайней мере позвонить ему? — тихо спросил Питер.

Они шли по берегу — рука в руке — под палящим солнцем. Он посмотрел на сияющую Оливию и понял, что никогда еще в жизни не испытывал такой свободы.

— Это совершенно ни к чему, — ответила она без тени раскаяния. — Подумайте, какую рекламу он на этом заработает, сколько сочувствия и внимания перепадет на его долю! Такие вещи портить нельзя.

— Вы слишком долго вращались в политических кругах, — неожиданно для себя самого рассмеялся Питер, садясь на песок. Оливия растянулась рядом с ним. К этому моменту он уже избавился от туфель и носков, держа их в руках и чувствуя себя настоящим лодырем. — Вы сами мыслите как политик.

— Ничего подобного. Даже в самых худших своих проявлениях я не настолько плоха. Мне ничего не нужно. Единственное, что мне хотелось иметь, я потеряла. И теперь у меня больше ничего не осталось.

Это была самая печальная фраза, которую когда-либо слышал Питер. Нетрудно было догадаться, что Оливия говорит о своем ребенке.

— В один прекрасный день у вас может появиться еще один ребенок, Оливия. — Питер говорил
тихо. Она лежала на песке с закрытыми глазами, как
будто таким образом можно было спрятаться от боли.
Но в уголках глаз Оливии блестели слезы, и Питер
осторожно вытер их. — Наверное, это было ужасно...
Мне так жаль вас...

Ему хотелось заплакать вместе с ней, крепко обнять и избавить ее от всей той боли, которую она
испытала за последние шесть лет. Но, глядя на нее,
Питер чувствовал, что не в состоянии ей помочь.

— Это было ужасно! — прошептала она, не открывая глаз. — Спасибо вам, Питер... за то, что вы
мой друг... за то, что вы здесь.

Оливия открыла глаза и посмотрела на него. Взгляды их встретились — и встретились надолго. Ему
пришлось преодолеть немалое расстояние, чтобы доехать до нее, и, внезапно оказавшись вдвоем в этой
маленькой французской деревушке, скрытые ото всех
посторонних глаз, они вдруг поняли, что нужны друг
другу — настолько, насколько возможно, насколько
у них хватит смелости. Опершись на локоть, Питер
разглядывал ее и думал, что никогда ничего подобно-

го ни к кому не испытывал и никогда не знал женщину, хоть немного похожую на нее. И он чувствовал, что не может думать ни о ком и ни о чем, кроме нее.

— Я хочу быть с вами, — тихо повторял он, гладя пальцами ее лицо и губы, — и я имею на это право. Что со мной? Все как будто в первый раз.

Питер ощущал почти физическую боль от ее присутствия, и тем не менее Оливия была своего рода бальзамом, способным заживить его раны. Он не понимал, что с ним происходит, но это было сладостное и неповторимое ощущение.

— Я знаю это, — просто сказала она. Нутром, душой, сердцем — она знала о нем все. — Но я от вас ничего не жду. Вы уже сделали для меня больше, чем кто-либо другой в последние десять лет. Я не могу просить о чем-то еще... и я не хочу, чтобы вы были несчастны, — добавила она, печально глядя на него. В какой-то степени она знала о жизни больше, чем он, — о скорби, потерях, о боли, но главным образом — о предательстве.

— Ш-ш-ш!.. — прошептал Питер, прикладывая палец к ее губам. Потом он наклонился, обнял ее и поцеловал. Их здесь никто не мог увидеть, остановить или сфотографировать. Никому не было дела до того, чем они занимаются. Казалось, все те предрассудки и препятствия, которые они привезли с собой, смыла морская волна, накатывавшаяся на песчаный берег. Их дети, их супруги, их воспоминания, их жизни. Все это потеряло значение в тот момент, когда он коснулся ее губ своими со всей страстностью, которая в течение многих лет была заперта в самом дальнем уголке его души. Они долго лежали в объятиях друг друга, и поцелуи Оливии были столь же горячими, что и его, и видно было, что ее душа еще более истосковалась по нежности. Прошло много времени, прежде чем они вспомнили, где они, и заставили себя оторваться друг от друга. Улыбки осветили их потрясенные лица.

— Я тебя люблю, Оливия, — задыхаясь, произнес Питер. Он первый нашел в себе силы заговорить, тесно-тесно прижав ее к себе и глядя в безоблачное небо. — Тебе это может показаться диким, потому что мы знакомы всего два дня, но у меня такое чувство, что я знаю тебя всю жизнь. Я не имею права говорить тебе об этом... но я тебя люблю.

Когда он повернулся к ней, в его глазах было нечто новое, только что родившееся, и Оливия заулыбалась.

— Я тоже тебя люблю. Один Бог знает, что из всего этого получится, может быть, ничего особенного, но никогда в жизни я не была так счастлива. Наверное, нам надо просто сбежать, послав ко всем чертям и «Викотек», и Энди.

Они оба рассмеялись тому куражу, с которым она произнесла эту фразу. Было здорово осознавать, что в этот драгоценный момент ни один человек не знает, где они находятся. Про Оливию думали, что ее похитили или сделали с ней еще что-нибудь похуже, а он просто исчез вместе с арендованной машиной, бутылкой минеральной воды и яблоком. То, что их никто не мог найти, опьяняло обоих.

И вдруг Питер задумался. Может быть, в этот самый момент сюда направляются сотрудники Интерпола?

— А почему ты думаешь, что твой муж не догадается, где ты?

Если он сразу об этом догадался, то почему это не может быть столь же очевидным для Энди?

— Я никогда не говорила ему об этом. Это была моя тайна.

— Тайна? — Питер был потрясен. Оливия раскрыла ему эту тайну во время их первого же разговора. А своему мужу она никогда ничего подобного не говорила. Он был польщен. Впрочем, и он доверял ей не меньше, чем она ему. Не было ничего, о чем Питер не мог бы ей рассказать. — Мне кажется, что здесь нам ничто не угрожает. По крайней мере в ближайшие несколько часов.

Он все еще хотел покинуть это место к вечеру, но после того как они купили ему плавки и вдоволь наплавались в океане, его решимость стала ослабевать. Это было гораздо более приятно, чем перемещаться от стенки к стенке в бассейне «Ритца». Тогда он совсем ее не знал, а она заставила его поломать голову над смыслом своих действий, когда стремительно уплыла от него. Но здесь Оливия была совсем рядом с ним, и Питеру было трудновато.

Она сказала, что ей всегда было страшно купаться в океане, и именно поэтому она никогда не любила плавать на кораблях, боясь приливов, течений и хищных рыб. Но теперь Оливия чувствовала, что Питер защищает ее.

В конце концов они подплыли к небольшой лодке, привязанной к буйку. Забравшись в нее, они немного отдохнули, и Питеру потребовалась вся его сила воли, чтобы не заняться с ней любовью прямо здесь, на дне этого утлого суденышка. Но они уже договорились обо всем. Питер был непоколебим в своем убеждении, что если между ними что-нибудь произойдет, это все испортит. Обоих будет угнетать чувство вины; нетрудно было понять, что у всех тех чувств, которые столь неожиданно вспыхнули между ними в этот день, нет никакого будущего и в лучшем случае они останутся друзьями. Они не могли позволить себе разрушить все это какой-нибудь дурацкой выходкой. И хотя брак Оливии давно расшатался, она согласилась с ним. Если они переступят через эту грань, это только осложнит ее объяснение с Энди по возвращении в Париж. Но тем не менее было очень трудно удерживать их отношения в рамках платонических поцелуев.

Вернувшись на берег, они снова заговорили об этом, пытаясь выбраться из того потока ощущений, который готов был их унести, однако это было нелегко. Их тела были влажными и расслабленными; они лежали рядом и говорили о вещах, важных для них обоих, — о детстве, которое Оливия провела в Вашингтоне, а Питер — в Висконсине, о том, каким ненужным он всегда чувствовал себя в родительском доме, как многого он хотел добиться и как ему повезло, когда он встретил Кэти.

Оливия расспрашивала его о матери, и Питер рассказал ей о родителях и сестре, о том, что мама и Мюриэл умерли от рака и именно поэтому «Викотек» так важен для него.

— Если бы у них было доступное им лекарство, все могло быть иначе, — печально сказал он.

— Может быть, — философски откликнулась Оливия. — Но иногда победить болезнь невозможно, сколько бы чудесных лекарств ни было в твоем распоряжении.

Они в свое время перепробовали все на свете, чтобы спасти Алекса. Отогнав от себя эти воспоминания, Оливия повернулась к нему:

— А у нее были дети?

Питер кивнул, посмотрел в сторону, и глаза его наполнились слезами.

— Они приезжают к тебе?

Питеру вдруг стало стыдно. Глядя на Оливию, он понял, насколько был не прав. Встреча с ней вызвала в нем желание что-то изменить в своей жизни.

— Мой зять переехал в другое место и примерно через год женился во второй раз. Я уже давно не имею от него никаких вестей. Не знаю почему — может быть, он хотел, чтобы все это осталось в прошлом. Он не звонил и не объявлялся, пока ему и его новой жене не понадобились деньги. К тому времени они уже обзавелись двумя общими детьми. И Кэти убедила меня в том, что прошло слишком много времени, что их, возможно, совершенно не интересует моя персона и что дети даже не узнают меня. И я оставил все как есть и в течение долгого времени ничего о них не слышал.

Насколько я знаю, они живут на ранчо в Монтане. Иногда я спрашиваю себя: а вдруг Кэти нравится, что у меня нет никакой семьи, кроме нее, мальчиков и Фрэнка? С сестрой у нее отношения не сложились, и Кэти очень разозлило, что ферму унаследовала Мюриэл, а не я. Но отец был совершенно прав, что оставил ее им. Я не хотел владеть ею и не нуждался в ней, и папа это прекрасно знал. — С этими словами Питер снова взглянул на Оливию, чувствуя, что понимал это всегда, но не решался себе в этом признаться. — Зря я забросил своих племянников! Мне, наверное, нужно поехать в Монтану и увидеться с ними.

Он должен был сделать это еще давно — в память о сестре. Но это причинило бы ему боль, так что он выбрал более удобный вариант — послушаться Кэти.

— Еще можно все поправить, — ласково сказала Оливия.

— Мне хотелось бы это сделать. Если только я их найду.

— Я уверена, что найдешь, — надо только захотеть. Он кивнул, зная, что́ теперь ему нужно делать. Но новый вопрос Оливии сразил его наповал.

— А что было бы, если бы ты никогда на ней не женился? — с любопытством спросила она. Ей нравилось играючи задавать ему вопросы, отвечать на которые было трудно.

— Тогда мне никогда бы не удалось сделать такую карьеру, — просто ответил он.

Но Оливия яростно покачала головой, не соглашаясь с ним.

— Ты не прав. И в этом — корень всех твоих проблем, — сказала она, не колеблясь ни минуты. — Ты считаешь, что все, что у тебя есть, приобретено благодаря Кэти. Работа, успех, карьера, даже твой дом в Гринвиче. Это неправильно. Блестящую карьеру ты сделал бы и без нее. Она ведь ничего не добилась в отличие от тебя. Кем бы ты ни был, даже если бы жил в Висконсине, ты все равно бы вышел в люди. Ты просто так устроен, и я подозреваю, что у тебя врожденная способность использовать любую подходящую возможность в своих интересах. Твой «Викотек», например. Ты сам говорил, что это целиком и полностью твое детище.

— Но я его еще не закончил, — скромно вставил Питер.

— Ты это сделаешь, что бы там ни говорил твой Сушар. За год, за два, за десять — не важно. Но ты этого добьешься, — сказала она с абсолютной убежденностью. — А если это не сработает, ты еще что-нибудь придумаешь. И это совершенно не имеет отношения к тому, на ком ты женат. — Она была по-своему права, Питер просто этого не понимал. — Я не отрицаю, что Донованы дали тебе возможность продвинуться в жизни, но другие люди на их месте поступили бы точно так же. И посмотри, что дал им ты. Питер, ведь ты думаешь, что все это они сделали ради тебя, и это до сих пор не дает тебе покоя. А ведь ты всего добился сам и даже об этом не подозреваешь.

Она раскрывала перед ним перспективы, которых он раньше не замечал, и, слушая ее, он ощутил прилив уверенности в себе. Оливия была исключительная женщина. Она дала ему то, чего до сих пор не давал никто, в особенности Кэти. Но и он тоже кое-что подарил ей — тепло, доброту, нежность, по которым она так истосковалась.

День уже клонился к вечеру, когда они вернулись в гостиницу и заказали себе обед на террасе. В шесть часов вечера Питер посмотрел на часы и понял, что ему нужно немедленно возвращаться в Париж. Но после целого дня купания и солнца, после того как та страсть, которую он испытывал к ней, вырвалась наружу, ему не хотелось даже пальцем шевельнуть, не говоря уже о том, чтобы вести машину в течение десяти часов.

— По-моему, не стоит, — сказала Оливия, хорошенькая, молодая и загорелая. Она была чем-то обеспокоена. Питер почувствовал, что он хотел бы не расставаться с ней никогда. — Ты не спал уже две ночи. Если ты сейчас сядешь за руль, то вернешься только к утру.

— Я должен признаться, — откликнулся Питер, усталый и довольный, — что эта перспектива меня самого не слишком-то привлекает. Но я должен возвращаться.

Он уже звонил в «Ритц», где ему не было оставлено никаких сообщений, но ведь Сушар рано или поздно все равно ему позвонит. К его неожиданному облегчению, ни Кэти, ни Фрэнк сегодня ему не звонили.

— А почему ты не хочешь остаться на ночь и приехать в Париж завтра? — заботливо спросила она.

Питер задумчиво посмотрел на нее:

— А ты поедешь со мной, если я переночую здесь?

— Может быть, — как-то обреченно сказала она, отвернувшись к океану.

— Вот что мне в тебе нравится — настоящая страсть к принятию верных решений.

Но она была подвержена и другим страстям, и у Питера заныло под ложечкой, когда он представил себе, от какого наслаждения они отказались.

— Хорошо, — наконец согласился он, чувствуя себя слишком усталым для того, чтобы проводить целую ночь в дороге. В конце концов, лучше было сделать это с утра, после хорошего ночного сна.

Но когда они попытались снять еще одну комнату в гостинице, им это не удалось. Оказалось, что Оливия взяла себе лучший номер — маленький, с видом на океан, а остальные три уже были заняты. Они долго стояли в вестибюле, растерянно глядя друг на друга.

— Ты можешь спать на полу, — наконец произнесла Оливия с озорной улыбкой, пытаясь соблюсти их договоренность не делать ничего такого, о чем они потом могут пожалеть. Но иногда помнить об этом было трудно.

— Как ни грустно мне это признавать, — усмехнулся Питер, — но это самое лучшее предложение, которое мне когда-либо делали. Я принимаю его.

— Замечательно! И я обещаю вести себя хорошо. Слово скаута. — Она подняла два пальца в скаутском приветствии, и Питер сделал вид, что он разочарован.

— Это меня еще больше удручает.

Смеясь и взявшись за руки, они пошли покупать ему футболку, бритву и джинсы. Все это было в местном магазине. Они купили джемпер с рекламой «Фанты», джинсы, которые сидели на нем как влитые, и Питер настоял на том, чтобы побриться в ее маленькой ванной перед обедом. Оливия надела белую кружевную юбку, блузку-топ и сандалии, которые тоже купила уже здесь. В сочетании с загаром и блестящими волосами все это выглядело сногсшибательно. Глядя на нее, было трудно представить себе, что именно об этой женщине Питер когда-то читал в газетах. Она, столь долго занимавшая его сознание, теперь казалась ему совсем иной. Став сначала его другом, Оливия постепенно превращалась в возлюбленную. В том, что они испытывали друг к другу — как физически, так и эмоционально, — было что-то очень трогательное. Несмотря на великолепную возможность насладиться друг другом сполна, они не чувствовали себя вправе воспользоваться этой ситуацией. Все это было восхитительно романтично и немного старомодно.

Они держались за руки, целовались, до полуночи гуляли по берегу, а когда где-то вдали заиграла музыка, они принялись танцевать на песке, прижавшись друг к другу, и Питер снова поцеловал ее.

— Что я буду без тебя делать? — Это был вопрос, который он задавал себе в течение всего дня.

— То же, что и всегда, — тихо ответила Оливия. Она вовсе не собиралась разрушать его брак или даже поощрять его размышления на эту тему. На это у нее не было никакого права, что бы там ни происходило между ней и Энди. И кроме того, несмотря на их взаимную привязанность, она совсем его не знала.

— Что значит «то же, что и всегда»? — несчастным голосом спросил Питер. — Я уже не помню этого. Все, что осталось в прошлом, кажется мне теперь нереальным. Я даже не знаю, был ли я счастлив.

Но только теперь он начал догадываться о том, насколько он был несчастным. И это оказалось для него новостью.

— Кто знает — возможно, тебе не стоит задавать себе эти вопросы, — мудро сказала Оливия. — Мы должны радоваться тому, что имеем... Воспоминания об этом дне останутся с нами навсегда. Мне по крайней мере этого хватит надолго, — печально добавила она, поднимая на него глаза.

Им обоим была прекрасно известна правда о его жизни. Оливия понимала, что он продал себя, даже не догадываясь об этом, но произносить вслух свое мнение она не стала. Однажды пойдя на компромисс, Питер позволил Кейт и Фрэнку управлять всем — от его дома до его бизнеса. Это происходило постепенно. И теперь, когда он смотрел на все это глазами Оливии, его удивляло только одно: почему он раньше этого не замечал? Наверное, ему так было легче.

— Что я буду делать без тебя? — жалобно повторил Питер, прижимая ее к себе. Он не мог представить свою жизнь без разговоров с ней. Каким-то образом ему удавалось обходиться без Оливии в течение сорока четырех лет, а теперь он вдруг понял, что не переживет ни одного мгновения разлуки с этой женщиной.

— Не думай об этом, — сказала Оливия и сама поцеловала его.

Им понадобились все их силы, чтобы оторваться друг от друга и медленно, обнявшись, вернуться в гостиницу. Когда они поднялись в ее крохотный номер, Питер улыбнулся и прошептал:

— Может быть, тебе придется не спать всю ночь и постоянно обливать меня холодной водой.

Он сопроводил свои слова мрачноватой усмешкой. Как хотелось ему взмахнуть волшебной палочкой и изменить обстоятельства! Но они оба понимали, что не имеют права сделать то, чего им так хотелось. И не позволить себе увлечься и потерять голову стало для них делом чести и испытанием на стойкость.

— Я обещаю, — тоже усмехнувшись, ответила Оливия. Она все еще не позвонила Энди и, похоже, даже не собиралась. Питер не стал настаивать. Он считал, что это целиком и полностью ее дело, но упрямство Оливии интриговало его, и он спрашивал себя, пытается ли она наказать своего мужа или просто боится его.

Когда они поднялись в ее комнату, Оливия сдержала свое слово. Она отдала ему одеяло и одну простыню и помогла соорудить импровизированную постель на ковре рядом с ее кроватью. Питер лег прямо в джинсах и джемпере, сняв только обувь и носки, а Оливия переоделась в ночную рубашку в ванной. Они лежали в темноте: она — на кровати, он — на полу рядом с ней, — держали друг друга за руки и говорили без конца. Однако Питер даже не попытался поцеловать ее, и только около четырех часов утра она наконец умолкла и провалилась в сон. Питер очень тихо встал и ласково укрыл ее, как маленькую девочку, и поцеловал — так нежно, как целуют ребенка. А потом он снова улегся на свою постель на полу и думал о ней до самого утра.

Глава 6

Они оба проснулись около половины одиннадцатого утра, когда солнце уже вовсю светило в окно. Оливия открыла глаза первая, и когда Питер последовал ее примеру, она с нежной улыбкой смотрела на него.

— Доброе утро, — ласково прошептала она. Питер что-то пробормотал и перевернулся на спину. Несмотря на то что он спал на ковре и одеяле, было очень жестко, и Питер чувствовал себя несколько уставшим, тем более что уснул он в семь. — У тебя затекло тело? — спросила Оливия, глядя на то, как он морщится, и предложила потереть ему спину.

Они оба очень гордились тем, что им удалось провести вместе ночь, не нарушив взаимного обещания.

— С удовольствием, — согласился Питер с широкой улыбкой и перевернулся на живот, развеселив ее очередным мурлыканьем. Оливия, свесившись с кровати, принялась нежно массировать ему спину, а Питер лежал на своем импровизированном ложе с закрытыми от блаженства глазами.

— Хорошо ли ты спал? — спросила Оливия, переходя с его шеи на плечи и стараясь не думать о том, какая у него мягкая кожа — как у ребенка.

— Я всю ночь лежал и думал о тебе, — честно ответил он. — Это торжество моего джентльменства, что я так хорошо себя вел, а может быть, это просто знак глупости или старости.

Он перевернулся и, посмотрев на нее, взял ее за руки, без всяких предупреждений резко сел и поцеловал.

— Ты мне сегодня приснился, — сказала она. Лица их были совсем рядом, руки Питера сами собой потянулись к ее волосам, и он снова и снова целовал ее в губы, зная, что совсем скоро должен будет с ней расстаться.

— И что произошло во сне? — прошептал он, покрывая поцелуями ее шею и постепенно забывая о том, что он себе обещал.

— Я плавала в океане и начала тонуть... а ты меня спас. Я думаю, что это хорошая метафора для того, что случилось между нами с тех пор, как я впервые встретила тебя. Я ведь действительно тонула, когда в первый раз тебя увидела, — сказала она серьезно, глядя ему прямо в глаза.

Питер нежно обнял ее. Еще мгновение — и он уже стоял на коленях, а она все еще была на кровати, и внезапно его руки оказались у нее под ночной рубашкой, лаская ее грудь. Оливия слабо застонала, желая напомнить ему об их взаимных обещаниях, но уже через мгновение забыла о них, потянулась к нему и заставила его лечь рядом.

Их поцелуи становились все более страстными, тела переплелись, запутавшись в простынях. Оливия оставалась в рубашке, а Питер — в джинсах. Они долго лежали рядом, покрывая друг друга поцелуями и забыв обо всем на свете. Выполнить их решение не заходить далеко было невозможно. Питеру хотелось впитать ее в себя, поглотить, пока она не станет его частью, чтобы быть с ним всегда.

— Питер... — прошептала она, и он прижал ее к себе и принялся целовать с такой жадностью, что Оливия прильнула к нему, задыхаясь от желания.

— Оливия... не надо... я не хочу, чтобы ты потом
об этом жалела...

Питер пытался вспомнить об ответственности, скорее ради нее, чем ради Кейт или сыновей, но в этот
момент он уже не мог себя остановить. Не произнося
ни слова, Оливия стянула с него джинсы, а Питер
подбросил ее рубашку высоко в воздух, и не успела
она упасть где-то поблизости от кровати, как Питер
уже вошел в нее. Только к полудню перевели они
дыхание и замерли в объятиях друг друга, совершенно вымотанные и пресыщенные. Но для обоих это
был момент величайшего счастья в жизни, и Оливия
улыбалась блаженной улыбкой:

— Питер... я тебя люблю...

— Это прекрасно, — сказал он, прижимая ее к
себе так крепко, что со стороны их можно было принять за одного человека, — потому что в своей жизни я никогда никого так не любил. Все-таки я не
джентльмен, — добавил он, явно нисколько не со-
жалея о случившемся. Он выглядел таким довольным, что Оливия сонно улыбнулась ему:

— Я этому только рада.

Вздохнув, она привалилась к нему поближе.

Они долго молчали, просто лежа в объятиях друг друга, благодарные судьбе за каждое мгновение, которое они провели вместе. И в конце концов, зная, что рано или поздно им придется расстаться, они снова занялись любовью — в последний раз. Когда настало время собираться, Оливия прижалась к нему и заплакала. Она не в силах была даже помыслить о разлуке с ним, но они оба знали, что это неизбежно. Оливия возвращалась с ним в Париж. Из гостиницы они вышли только в четыре часа, похожие на двух детей, покинувших Эдем.

Они купили сандвичи и стакан вина на двоих и с аппетитом уничтожили все это, сидя на берегу и глядя на океан.

— Если ты сюда вернешься, я без труда смогу представить себе тебя на этом песке, — печально сказал Питер, мечтая прожить здесь вместе с ней всю жизнь.

— А ты приедешь ко мне? — задумчиво улыбаясь, откликнулась Оливия. Непослушные волосы падали ей на лицо, а к щеке прилипло несколько песчинок.

Но Питер в ответ долго молчал. Он не знал, что ей ответить, и понимал, что не вправе что-либо обещать. У него по-прежнему была его жизнь с Кэти, и всего лишь час назад Оливия сказала, что она это понимает. Ей не хотелось отнимать у него все, что им нажито. Она готова была удовольствоваться сладостными воспоминаниями об этих двух днях. Некоторым людям такое счастье не выпадало в течение всей жизни.

— Я попробую... — задумчиво сказал он наконец, в глубине души желая нарушить данное ей обещание еще до того, как оно было дано.

Оба понимали, насколько им будет трудно видеться, и слова о том, что они не могут продолжать свой роман, уже прозвучали. Он должен остаться в воспоминаниях, не более того. Их жизнь была слишком сложной, и оба они были связаны тесными ниточками с другими людьми. А после того как Оливия вернется в свой мир, в котором она привыкла жить, фоторепортеры, постоянно преследовавшие ее, никогда не позволят чему-либо подобному случиться вновь. То, что им выпало, было чудом, которое никогда не повторится.

— Я бы хотела вернуться сюда и снять здесь дом, — торжественно сказала Оливия. — Мне кажется, здесь я смогла бы работать над своей книгой.

— Ты должна попробовать, — откликнулся Питер, целуя ее.

Покончив со своим ленчем, они на мгновение застыли, держась за руки и глядя на океан.

— Мне бы хотелось думать, что когда-нибудь мы вернемся в это место. Вдвоем, я имею в виду, — произнес Питер, обещая ей то, что до этого момента сказать не осмеливался, — слабую, шаткую надежду на будущее. Пусть это снова будет один день. Еще одно воспоминание, которое останется им на всю жизнь. Оливия от него ничего не требовала.

— Может быть, — тихо сказала она. — Если так должно быть, так и произойдет.

Но те препятствия, которые стояли перед обоими, преодолеть было очень трудно. У Питера это «Викотек», который нужно еще доводить до ума, тесть, с которым надо бороться за самостоятельность, и Кейт, ожидавшая его в Коннектикуте, а Оливии предстояло вернуться и разбираться с Энди.

Они медленно пошли к машине, и Оливия купила немного еды в дорогу. Убирая ее на заднее сиденье, она надеялась, что он не заметит слез в ее глазах, но Питеру не нужно было даже смотреть на нее, чтобы почувствовать ее состояние. Ему тоже хотелось плакать — он мечтал о том, на что никто из них не имел права.

Питер прижал ее к себе, и они в последний раз посмотрели на море и признались друг другу в любви. Потом Оливия скользнула в арендованную машину, чтобы начать это долгое путешествие в Париж.

Вначале они почти не разговаривали, но потом немного расслабились и начали болтать друг с другом. Каждый из них пытался разобраться в том, что произошло между ними, со своей точки зрения, свыкнуться с этим внезапно вспыхнувшим романом и смириться с неизбежными ограничениями.

— Нам будет трудно, — сказала Оливия, улыбаясь сквозь слезы, когда они проезжали Вьеррери. — Я не могу себе представить, что мы будем во многих километрах друг от друга.

— Я знаю, — ответил он, чувствуя, как к горлу подступает комок. — Когда мы вышли из гостиницы, я чувствовал то же самое. Мне кажется, я схожу с ума. Мне даже поговорить будет не с кем.

После этого сладкого и безумного утра он чувствовал, что в каком-то смысле она теперь принадлежит ему.

— Ты можешь иногда мне звонить, — с некоторой надеждой продолжала Оливия. — Я оставлю тебе номер телефона.

Но оба понимали, что как бы ни сложились обстоятельства, Питер все равно останется женатым человеком. Конечно, в том, что они сделали, крылась некоторая опасность, но если бы сегодня утром ничего не произошло, это бы мало что изменило. В каком-то смысле это могло сделать расставание еще более тяжелым. По крайней мере теперь им было что вспомнить.

— Может быть, нам стоит встречаться хотя бы раз в полгода — просто для того, чтобы видеть, что происходит с каждым из нас. — Оливия немного смутилась, вспомнив один из своих любимых фильмов с Кэри Грантом и Деборой Керр. Это была классическая мелодрама, над которой она в молодости плакала тысячу раз. — Можно встречаться, например, в Эмпайр-стейт-билдинг.

Это было сказано наполовину в шутку, но Питер быстро покачал головой:

— Не нужно. Ты не должна появляться со мной на публике. Меня это просто сведет с ума, а ты закончишь инвалидной коляской. Давай лучше вспомним какой-нибудь другой фильм. — Питер улыбнулся, и Оливия тоже рассмеялась в ответ.

— Что же мы будем делать? — спросила она через мгновение, помрачнев и глядя в окно на дорогу.

— Вернемся и попробуем стать сильнее. Вернемся к тому, что мы делали до того, как мы встретились и все это началось. Я думаю, что для меня это будет легче, чем для тебя. Я был так глуп и так слеп, что даже не осознавал, насколько я несчастлив. Да и тебе тоже придется во многом разобраться. Что до меня, то мне нужно будет изо всех сил делать вид, что ничего не произошло, как будто я просто провел неделю в Париже, томясь от скуки. Как же я это сумею?

— Может быть, тебе и не придется этого делать, — добавила Оливия, спрашивая себя, не поколеблет ли возможный провал «Викотека» его семейную лодку. Питера, по всей видимости, это тоже страшно беспокоило.

— А почему бы тебе не писать мне, Оливия? — в конце концов сказал он. — По крайней мере дай мне знать, где ты. Иначе я сойду с ума от неизвестности. Обещаешь?

— Конечно, — кивнула она.

Увлеченные разговором, они не заметили, как постепенно стемнело. В Париж они приехали около четырех часов утра. Питер остановил машину в нескольких кварталах от отеля и, хотя оба к этому моменту смертельно устали, откинулся на спинку сиденья с блаженным видом.

— Можно ли предложить тебе кофе? — спросил он, вспомнив их первую встречу на площади Согласия.

Оливия печально улыбнулась:

— Ты можешь предложить мне все, что угодно, Питер Хаскелл.

— То, что я хотел бы дать тебе, нигде не купишь — ни за какие деньги, — сказал он, имея в виду все, что он чувствовал к ней с момента их первой встречи. — Я тебя люблю. Может быть, буду любить до конца своих дней. Я никогда больше не встречу такого человека, как ты. Помни это, где бы ты ни была. Я люблю тебя.

Питер поцеловал ее долгим и страстным поцелуем, и они прижались друг к другу, как двое тонущих людей.

— Я тоже люблю тебя, Питер. Если бы ты мог взять меня с собой!

— Если бы я мог... — эхом откликнулся он.

Питер знал, что они оба никогда не забудут то, что произошло между ними за прошедшие два дня.

Потом Питер довез ее до отеля, и Оливия вышла из машины в дальнем конце Вандомской площади. У нее не было никаких сумок. Юбка была на ней, а джинсы и джемпер она свернула и несла в руках. Оливия ничего не оставляла ему, кроме своего сердца. Поцеловав его в последний раз, она побежала через площадь, вытирая слезы, струившиеся по ее щекам.

Питер сидел в машине очень долго, думая о ней и смотря на вход в гостиницу, где она только что скрылась. Он знал, что сейчас она уже в своем номере, потому что на этот раз она пообещала ему вернуться и больше не исчезать. А если Оливия все-таки решит уйти, то она должна прийти к нему или по крайней мере дать знать о себе. Ему совершенно не хотелось, чтобы она скиталась по всей Франции. В отличие от ее мужа Питера гораздо больше беспокоил вопрос безопасности Оливии. Он тревожился обо всем — о том, что они сделали, о том, что произойдет с ней сейчас, когда она вернется, и о том, будут ли ее опять использовать в политических целях или на этот раз Оливия все же оставит своего мужа. Он не знал, как посмотрит в глаза Кейт, когда вернется в Коннектикут, и почувствует ли она, что что-то в его отношении к ней изменилось. Благодаря Оливии Питер понял, что его успех был исключительно делом его собственных рук, однако он по-прежнему чувствовал, что многим обязан Кейт, что бы ни говорила Оливия. Он был просто не в состоянии сейчас отказаться от нее и должен был продолжать вести себя так, как будто ничего не произошло. То, что случилось между ним и Оливией, не имело ни прошлого, ни настоящего, ни будущего. Это было просто мгновение, сон, бриллиант, который они нашли в песке и подержали в руках. Но у обоих были другие обязательства. Его прошлым, настоящим и будущим была Кейт.

Единственно, что его тревожило, — это боль в сердце. И когда он спустя некоторое время вышел из машины и медленным шагом пошел по направлению к «Ритцу», ему казалось, что сердце его разорвется. Перед его мысленным взором предстала Оливия. Увидит ли он ее еще когда-нибудь, где она сейчас? Питер не мог себе представить, как будет жить без этой хрупкой женщины, но ничего другого ему не оставалось.

Войдя в номер, Питер обнаружил там маленький конверт. Доктор Поль-Луи Сушар звонил мистеру Хаскеллу и просил его перезвонить при первом же удобном случае.

Да, он вернулся в свою настоящую жизнь, к тому, что имело для него значение, — жене, сыновьям, работе. А где-то далеко, почти пропав в утреннем тумане, была женщина, которую он нашел, но не мог назвать своей, — женщина, которую он так отчаянно любил...

Питер стоял на балконе, любуясь рассветом и думая о ней. Теперь все это казалось ему мечтой. Возможно, ничего реального во всем этом не было. Площадь Согласия... кафе на Монмартре... пляж Ла-Фавьера... и все. Он знал, что должен был забыть о ней вопреки всему, что они пережили.

Глава 7

Когда в восемь утра ему позвонили, чтобы разбудить, Питер некоторое время не мог сообразить, где находится. Положив трубку, он задумался, почему так ужасно себя чувствует — будто на душе у него свинцовый груз. И спустя мгновение все вспомнил. Она покинула его! Все было кончено. Ему нужно было звонить Сушару, возвращаться в Нью-Йорк, встречаться с Фрэнком и Кэти. А Оливия вернулась к своему мужу.

Трудно было выразить, какую жалость к себе он испытывал, стоя под душем и думая об Оливии. Надо было заставить себя вернуться к своей работе, к тому делу, которое предстояло ему сегодня утром.

Он позвонил Сушару точно в девять, но Поль-Луи отказался сообщить ему результаты, настаивая на том, чтобы Питер явился прямо в лабораторию. Он сказал, что все испытания наконец закончены. Ему нужен был всего час на разговор с Питером, так что тот вполне мог успеть на двухчасовой самолет. Питера несколько раздражало то, что Сушар не может хотя бы вкратце рассказать ему по телефону о результатах тестов, однако он покорно согласился прийти к Сушару в половине одиннадцатого.

Питер заказал кофе и круассаны, но есть не смог. Он уехал из отеля в десять и оказался на месте немного раньше. Сушар с неизменно мрачным лицом уже ждал его. Но в конце концов оказалось, что результаты не так плохи, как опасался Питер или как предсказывал Поль-Луи.

Один из основных компонентов «Викотека» был весьма опасен, однако ему можно было найти заменитель, да и в целом отказываться от продолжения работы над препаратом не было необходимости. Его просто нужно было «переделать», как выразился Сушар, что могло отнять довольно много времени. Питер поднажал на него, и тот признался, что эти перемены при упорном труде могут быть достигнуты в течение полугода или года, но, вероятнее всего, этот процесс займет около двух лет, как и предполагал Питер во время их первой беседы.

Возможно, если они бросят на разработку препарата лучшие силы, он будет доведен до совершенства через год, что, конечно, не было концом света, но все же серьезно нарушало их планы. Но в том виде, в котором «Викотек» существовал сейчас и в котором они хотели выпустить его на рынок, это было не лекарство, а смерть в ампуле.

Сушар высказал несколько предположений по поводу того, как произвести необходимые изменения. Но Питер знал, что Фрэнк не увидит положительных сторон сложившейся ситуации. Он и так терпеть не мог всякого рода задержки, а здесь были необходимы дополнительные исследования, требующие непомерных капиталовложений. Теперь не оставалось никакой надежды на то, что они успеют к сентябрьским слушаниям ФДА, чтобы получить разрешение на досрочные испытания на людях. Фрэнк хотел, чтобы препарат как можно раньше был выпущен на массовый рынок, что не совсем совпадало с желаниями Питера. Но каковы бы ни были причины их спешки или их первоначальные цели, теперь все менялось.

Поблагодарив Поля-Луи за его содействие и тщательнейшим образом проведенные исследования, Питер, погруженный в невеселые мысли, вернулся в отель, подбирая правильные слова для беседы с Фрэнком. Приговор Поля-Луи по-прежнему звучал у него в ушах: «Викотек» в том виде, в котором он существует сейчас, — это убийца». Не этого хотел бы Питер для своей матери и сестры, если бы можно было повернуть время вспять. Но Питер интуитивно предчувствовал, что Фрэнк взорвется, когда услышит эти новости, а это означало, что взорвется и Кэти. Она не переносила, когда ее отец по тому или иному поводу расстраивался. Но даже она на этот раз просто обязана все понять. Никому не нужны трагедии; они не должны допустить, чтобы это случилось.

Вернувшись в отель, Питер упаковал свои вещи. До прихода такси оставалось еще десять минут; чтобы убить время, он включил информационный канал. И увидел Оливию, как и ожидал. Возвращение Оливии Дуглас Тэтчер стало новостью часа. Корреспонденты пересказывали абсолютно неправдоподобную историю — якобы она отправилась навестить подругу, попала в незначительную автокатастрофу и в течение трех дней пребывала в состоянии легкой амнезии.

В маленькой больнице, куда она попала, никто ее не узнал. Прошлой ночью она чудесным образом пришла в себя, а теперь вернулась к своему мужу.

— Вот это клюква! — присвистнул Питер, качая головой от отвращения.

На экране замелькали те же самые старые фотографии, а потом стали передавать интервью с невропатологом, который объяснял, что небольшое сотрясение мозга может вызвать временное расстройство рассудка. Репортаж был закончен пожеланием миссис Тэтчер полного и скорейшего выздоровления.

— Аминь, — пробормотал Питер, выключая телевизор. В последний раз оглядев свой номер, он взял в руки кейс. Сумка с вещами уже была в машине, и ему больше нечего было здесь делать.

Но на этот раз, покидая комнату, он испытал странное чувство ностальгии. Во время его путешествия произошло столько всего... Внезапно ему захотелось взбежать по ступенькам к ее номеру. Он постучит в дверь и скажет, что он ее старый друг... и Энди Тэтчер решит, что перед ним сумасшедший. Питер спрашивал себя, заподозрил ли он что-нибудь о прошедших трех днях, или ему было настолько наплевать на все это, что он даже и не задумывался над тем, чем могла заниматься его жена. Ее отсутствие объяснить было трудно, и та версия, которую теперь так усиленно озвучивала пресса, не внушала доверия. Питер считал ее просто смешной и не думал, что в нее кто-нибудь поверит.

Он спустился вниз и увидел там все ту же картину — арабов, японцев и прочих. Король Халед после случая с бомбой уехал в Лондон. Прибыло много новых постояльцев, и Питер с трудом пробился к стойке портье. Миновав большую группу мужчин в костюмах, с рациями и наушниками, Питер прошел через вертящуюся дверь и увидел, как Оливия садится в лимузин, внутри которого уже был Энди с двумя советниками. Тот разговаривал с ними, повернувшись к жене спиной, а Оливия, словно почувствовав присутствие Питера, обернулась и посмотрела через плечо. Она застыла как зачарованная. Глаза их встретились, и Питер даже забеспокоился, что кто-нибудь может это заметить. Он слегка кивнул ей, и Оливия, с трудом заставив себя оторвать от него глаза, скользнула в лимузин. Дверь захлопнулась, машина мягко двинулась с места, а Питер так и остался стоять на тротуаре, пытаясь разглядеть ее через темные пуленепробиваемые стекла.

— Ваша машина, мсье, — вежливо напомнил ему швейцар, желая избежать пробки перед отелем «Ритц». Две фотомодели спешили на сеанс съемки, и поданный Питеру лимузин мешал им уехать. Девушки были в полуистерическом состоянии, они кричали и махали ему руками.

— Простите.

Питер дал швейцару на чай и сел в машину. Шофер вырулил на шоссе, ведущее в аэропорт. Сидевший рядом с ним Питер не отрываясь смотрел вперед.

Энди взял с собой Оливию на встречу с двумя конгрессменами и послом в посольстве США. К этой встрече он готовился всю неделю и настоял на том, чтобы жена поехала с ним. Поначалу он был страшно зол на нее из-за той суеты, которую она вызвала своим трехдневным бегством, но через час после того, как Оливия вернулась, ее супруг решил, что эта история только послужит ему на пользу. Вместе со своими менеджерами он разработал несколько версий происшедшего, каждая из которых должна была вызвать симпатию, особенно в свете его ближайших планов. Он хотел сделать из нее вторую Джеки Кеннеди.

Она даже внешне чем-то напоминала ее и была женщиной того же «беспризорного» типа, что удачно сочеталось с ее стилем, элегантностью и смелостью перед лицом невзгод. Его советники решили, что Оливия как нельзя лучше подходит на роль жены преуспевающего политика. Теперь они собирались обращать на нее больше внимания, чем это было в прошлом, и хотя бы немного ухаживать за ней. Ни Энди, ни его приближенные не сомневались в том, что она не будет возражать против изменения своего имиджа.

Тем не менее она должна будет прекратить свои внезапные исчезновения. Это началось, когда умер Алекс. Оливия куда-то пропадала на несколько часов, иногда на ночь, и, как правило, обнаруживалась у родителей или у брата. Этого, надо сказать, не случалось довольно давно, да и Энди привык относиться к подобным выходкам спокойно, нисколько не тревожась о своей жене. Он знал, что со временем все образуется и Оливия перестанет совершать идиотские поступки. Перед тем как отправиться в посольство, он объяснил жене, что думает по этому поводу и чего теперь от нее ожидает. Сначала Оливия сказала, что не поедет с ним. И еще она отчаянно протестовала против той официальной версии, которую теперь так усиленно муссировали все масс-медиа.

— Ты сделал меня похожей на идиотку! — в ужасе говорила она. — Идиотку с повреждениями мозга.

— Ты не оставила нам выбора. А что ты хотела бы услышать про себя по телевидению? Что ты в течение трех дней не вылезала из запоя в гостинице на левом берегу Сены? Или я должен был сказать им правду? А какова, кстати, правда? Или я не должен это знать?

— Это в любом случае не так интересно, как любая версия, которую ты способен придумать. Мне просто нужно было побыть наедине с собой — вот и все.

— Так я и думал, — скорее устало, чем раздраженно сказал Энди. Он сам периодически любил куда-нибудь исчезнуть, но делал это куда более изощренно, чем его жена. — В следующий раз оставь записку или скажи кому-нибудь.

— Я хотела это сделать, — смущенно ответила Оливия, — но потом поняла, что ты вряд ли будешь беспокоиться.

— Ты, наверное, считаешь, что все происходящее меня совершенно не волнует, — с видимым раздражением откликнулся он.

— А разве это не так? По крайней мере происходящее со мной. — И тут Оливия собрала всю свою
смелость и произнесла то, к чему уже давно готови-
лась: — Я бы хотела поговорить с тобой сегодня.
Может быть, когда мы вернемся из посольства.

— У меня ленч, — сказал Энди, немедленно те-
ряя к ней интерес. Его жена вернулась, не скомпро-
метировав его. Пресса была удовлетворена. Оливия
была нужна ему в посольстве, а после этого у него
были совсем другие дела.

— Сегодня днем меня вполне устроит, — холодно повторила Оливия, прекрасно понимая, что времени на этот разговор у него нет. Этот взгляд был ей
знаком слишком хорошо; Энди стал совсем не похож
на человека, которого она когда-то полюбила.

— Что-то случилось? — спросил он, глядя на
нее с удивлением. Она редко требовала у него чего
бы то ни было, в том числе и времени для аудиенции,
но Энди никоим образом не мог заподозрить, что ему
предстоит.

— Да нет. Я ведь часто исчезаю на три дня. Что
могло случиться?

Энди не понравился ее взгляд и тон, которым она
произнесла эти слова.

— Тебе очень повезло, что я сумел замять все это дело, Оливия. На твоем месте я бы не особенно раздражался по этому поводу. Ты что, ждала, что после того, как ты три дня моталась неизвестно где, все примут тебя с распростертыми объятиями? Журналисты при желании могли опозорить тебя на весь мир. По-моему, тебе не следует сейчас высказываться в таком тоне. — Энди говорил все это не просто так — он прекрасно понимал, что подобного рода выходки могут сильно поколебать его шансы стать президентом.

— Прости меня, — мрачно сказала она. — Я не хотела причинять тебе столько неудобств.

Он ведь ни слова не сказал о том, что беспокоился о ней или боялся, что с ней что-то случилось. По правде говоря, он никогда об этом не думал. Достаточно хорошо, по его мнению, зная ее, он был твердо убежден в том, что она просто решила скрыться от него на некоторое время.

— Мы можем поговорить после того, как ты закончишь все свои встречи. Это может подождать. — Оливия пыталась говорить спокойно, но внутри у нее бушевал гнев. Энди всегда унижал ее. В последние годы он совершенно отошел от нее. А теперь, когда в ее жизни появился Питер, все недостататки мужа показались ей невыносимыми.

Она могла думать только о Питере. Когда некоторое время спустя, уезжая в посольство, Оливия увидела его, и сердце ее чуть не разорвалось. Она побоялась подать ему знак, потому что понимала: теперь журналисты будут следить за ней особенно тщательно. Мало кто поверит в состряпанную Энди историю, и любая пикантная подробность, про которую им удастся пронюхать, доставит им огромное удовольствие.

Все то время, в течение которого они находились в посольстве, Оливия была погружена в собственные мысли. И Энди не пригласил ее на ленч. У него была длительная встреча с французским политиком. В четыре часа он вернулся, совершенно не готовый к тому, что́ она собиралась ему сказать. Оливия тихо ждала его в гостиной, сидя в кресле и глядя в окно. Питер сейчас летел в Нью-Йорк, и она могла думать только об этом. Он возвращался к «ним» — к тем, другим людям в его жизни, о которых должен был заботиться. И она тоже вернулась в руки своих эксплуататоров, но ненадолго.

— И в чем же дело? — входя, спросил Энди. С ним были двое его помощников, но когда он увидел серьезное лицо жены, то немедленно отпустил их. Такое лицо у нее было всего два раза: когда убили его брата и когда умер Алекс. В остальное время она всегда выглядела чуждой ему и тому миру, в котором он жил.

— Я должна тебе кое-что сказать, — тихо произнесла Оливия, не зная, с чего начать. В голове вертелась только одна — ключевая — фраза ее тирады.

— Я уже это понял, — откликнулся ее муж, красивый и ухоженный, как никто из мужчин, которых она встречала в жизни.

У него были огромные голубые глаза и прямые светлые волосы, придававшие ему несколько мальчишеский вид. Широкоплечий, с узкой талией, он уселся в кресло и скрестил свои длинные ноги. Но Оливии он больше не казался привлекательным. Она знала, насколько он эгоистичен, насколько занят собой и равнодушен к ней.

— Я ухожу, — просто сказала она. Вот оно! Все кончено. Все ушло.

— Куда уходишь? — удивленно переспросил он, даже не понимая, что она сказала. Через мгновение

Энди улыбнулся. Это было вне его понимания и воображения.

— Я ухожу от тебя, — терпеливо повторила
она, — как только мы вернемся в Вашингтон. Я
больше не могу с тобой жить. Для этого-то я и уехала на несколько дней — мне нужно было все обдумать. Но теперь я уверена.

Ей хотелось испытывать сожаление по поводу того,
что она ему говорила, но они оба понимали, что ничего
подобного она не чувствует. И Энди тоже не испытывал
ни малейшего сожаления — он просто был поражен.

— Ты не слишком удачно выбрала время, —
грустно сказал он, не спрашивая ее, однако, почему
она уходит.

— Удачный момент мне не представится никогда.
И вообще для подобного поступка выбрать подходя-
щее время невозможно. Это как болезнь — никогда
не приходит тогда, когда это удобно. — Она думала
об Алексе, и Энди кивнул. Он прекрасно понимал,
как больно ее это ударило. Но ведь прошло уже два
года. Конечно, в каком-то смысле она никогда не
оправится от этой трагедии. И их брак — тоже.

— А у тебя есть для этого какой-то особый повод? Тебя что-то раздражает?

Энди не осмеливался спросить Оливию, не появился ли у нее кто-нибудь. Хорошо зная ее — а он был уверен, что знает о ней все, — он чувствовал, что мужчина тут не замешан.

— Меня многое раздражает, Энди. И ты это прекрасно знаешь. — Они обменялись долгим взглядом. Никто из них не мог отрицать, что они стали друг другу посторонними людьми. Теперь она даже не могла точно сказать, какой он. — Я никогда не хотела быть женой политика и сказала тебе об этом, когда мы поженились.

— Я ничего не мог поделать, Оливия. Все меняется. Кто мог знать, что Тома убьют? Кто мог знать обо всем остальном? Мир не стоит на месте, и нужно встречать эти изменения с поднятой головой.

— Я так и делала. Я всегда была с тобой, я участвовала в твоих кампаниях, делала все, что ты от меня ожидал, но мы уже давно не муж и жена, Энди, и ты это прекрасно знаешь. Ты уже много лет находился где-то далеко от меня. Я даже не знаю, что происходит у тебя в душе.

— Прости меня, — голосом, в котором звучали нотки искренности, сказал Энди. — Но я все равно хочу тебе сказать, что ты крайне неудачно выбрала время.

Он посмотрел на нее острым взглядом, и если бы
Оливия знала, что́ скрывалось за ним, она бы непременно испугалась. Он отчаянно нуждался в своей жене
и ни в коем случае не собирался ее отпускать.

— Знаешь, дело в том, что... Я собирался обсудить это с тобой, но вплоть до последней недели не
был уверен, что решусь на этот поступок. — Оливия
понимала: что бы он там себе ни решал, она в этом
процессе никакого участия не принимала. — Я хотел, чтобы ты узнала об этом в числе первых, Оливия. — «В числе первых», но не первой — в этом-то
и была вся трагедия их брака. — В следующем году
я намерен баллотироваться в президенты. Для меня
это значит все. И для того чтобы выиграть, мне нужна твоя помощь.

Оливия остолбенела, словно он ударил ее бейс-
больной клюшкой. Большей боли он причинить ей не
мог. Нельзя сказать, чтобы такой шаг был для нее
неожиданным — нет, она прекрасно сознавала, что
это возможно, — но теперь это стало реальностью, и
тот тон, которым Энди объявил о своем решении,
сделал его заявление похожим на разорвавшуюся
бомбу. Теперь она плохо представляла себе, что ей
делать.

— Я много думал об этом, прекрасно зная, как ты относишься к политическим кампаниям. Но мне кажется, что в том, чтобы быть первой леди, есть даже что-то привлекательное. — Он произнес эти слова со слабой улыбкой, словно желая подбодрить ее, но каменное лицо Оливии не дрогнуло. Она пришла в ужас. Меньше всего на свете ей хотелось быть первой леди.

— Мне это совсем не кажется привлекательным, — дрожа ответила она.

— А мне — да! — отрезал он. Это было единственное, что было для него важно, а вовсе не она и не их брак. — И без тебя я этого сделать не смогу. Разошедшегося с женой президента быть не может, а тем более разведенного. Это, я надеюсь, для тебя не новость?

Да, Оливия не была новичком в политике и знала все эти тонкости с детства. Энди смотрел на нее не отрываясь. Если уж на то пошло, нужно было использовать эту ситуацию на все сто процентов. Он не пытался убедить ее в том, что все еще любит ее. Оливия была для этого слишком умна, да и пропасть между ними за последние годы стала непреодолимой, и оба это понимали.

— Давай-ка сделаем вот что, — задумчиво произнес он. — Это не слишком романтичная идея, но, может быть, нас обоих это устроит. Ты мне нужна. Говоря практически — на ближайшие пять лет. Год на кампанию и еще четыре — на мой первый срок. После этого либо все уладится, либо страна привыкнет к нашей ситуации. Может быть, настало время понять, что президент тоже человек. Взгляни, что творят принц Чарльз и леди Ди. Если Англия это пережила, то почему не переживет Америка?

В своих мечтаниях он уже был президентом, и люди должны были привыкнуть к нему, так же как и его жена.

— В любом случае, — продолжал он, обдумывая свои слова на ходу и стремясь сделать свою речь как можно убедительнее, — я говорю только о пяти годах. Ты еще очень молода, Оливия. Ты вполне можешь позволить это себе, и, кроме того, это даст тебе харизму, которой у тебя никогда не было. Люди будут испытывать к тебе не просто жалость или любопытство — они будут тебя обожать. Мои мальчики помогут этому осуществиться. — Оливию тошнило, когда она все это слушала, но тем не менее она позволила ему продолжать. — В конце каждого года, после выплаты налогов, я буду класть на твой счет по пятьсот тысяч долларов. И через пять лет у тебя будет два с половиной миллиона долларов. — Он поднял руку, чтобы жена не прерывала его своими замечаниями. — Я знаю, что купить тебя нельзя, но если ты после расставания со мной намерена жить самостоятельно, это позволит тебе свить маленькое уютное гнездышко. А если у нас будет ребенок, — Энди улыбнулся, подслащивая пилюлю, — я дам тебе еще миллион. В последнее время мы говорили об этом, и мне кажется, что это важный вопрос. Ты же не хочешь, чтобы люди считали, что у нас странные отношения, что мы оба гомосексуалисты или ты слишком подавлена произошедшей трагедией? О нас и без того достаточно судачат. Мне кажется, нам нужно сдвинуться с мертвой точки, — при этих словах Оливию передернуло, — и завести еще одного ребенка.

Бедная Оливия не верила своим ушам. Слова «мы говорили о ребенке» означали, что он обсуждал эту тему со своими советниками. Это было даже за пределами отвращения.

— А почему бы нам не арендовать ребенка на время? — холодно спросила она. — Никто ничего не узнает. Во время кампании мы будем выдавать его за своего, а потом вернем в приют. От детей так устаешь, и они доставляют столько неудобств.

Энди не понравился ее взгляд, когда она произносила эти слова.

— Совсем не обязательно делать такого рода комментарии, — тихо сказал он. Сейчас Энди был похож именно на того, кем являлся на самом деле, — на богатого мальчика, который окончил лучшую школу, поступил в Гарвард и получил блестящее юридическое образование. В его распоряжении были обширные родительские средства, и он всегда верил в то, что в мире не существует ничего, что он не мог бы купить или заработать тяжелым трудом. Он был готов и на то и на другое — но не для своей жены. А Оливия больше не хотела иметь от него детей. Он никогда не уделял достаточно времени их единственному ребенку, несмотря на то что у мальчика был рак. Отчасти из-за этого она так тяжело пережила смерть Алекса. Энди страдал гораздо меньше. И с сыном у него были не такие близкие отношения.

— Твое предложение возмутительно! Это самая большая гадость, которую я когда-либо слышала! — гневно сказала она. — Мало того, что ты покупаешь пять лет моей жизни по высокой цене, — ты еще хочешь, чтобы я родила тебе ребенка, потому что это поможет тебе стать президентом. Если ты не прекратишь нести всю эту галиматью, меня вырвет.

— Ты же всегда любила детей. Я не понимаю, в чем проблема.

— Я больше не люблю тебя, Энди, вот почему я не хочу от тебя детей. Как же ты можешь быть таким толстокожим и бесчувственным? Что с тобой произошло? — Слезы подступили к ее глазам, но она взяла себя в руки, не желая плакать в его присутствии. Он этого не заслуживал. — Я люблю детей и всегда буду их любить. Но я не хочу рожать ребенка ради политической кампании от человека, который меня не любит. Как ты, кстати, предлагаешь это сделать — путем искусственного оплодотворения?

Энди не спал с ней уже несколько месяцев, хотя Оливию это не особенно беспокоило. У него не было времени и было слишком много отвлекающих моментов, а его жена давно потеряла к нему интерес.

— По-моему, ты слишком болезненно к этому относишься, — сказал он, немного, однако, смущенный ее словами. В них была доля правды, и даже Энди это понимал. Но теперь он не мог себе позволить отступить. Перебороть ее упрямство было для него слишком важно. Он говорил одному из своих менеджеров о том, что Оливия уперлась и не хочет заводить еще одного ребенка. Она была так привязана к Алексу и так страдала, когда он умирал, что рассчитывать на нее в этом смысле было трудно. Теперь она слишком сильно боялась утрат. — Ладно, я бы хотел, чтобы ты как следует все взвесила. Скажем, миллион в год. За пять лет это будет пять миллионов, и еще два, если ты родишь.

Энди говорил совершенно серьезно, но Оливию его слова рассмешили.

— Неужели ты думаешь, что я буду выторговывать два миллиона в год и три за ребенка? Дай-ка я прикину... Это будет шесть, если родятся близнецы... и девять — если тройня. Говорят, уколы пергонала очень помогают... И тогда можно рассчитывать сразу на четырех близнецов...

Оливия с широко раскрытыми глазами, в которых застыла боль, повернулась к нему. Кто был этот человек, которому она когда-то поверила? Как она могла в нем так сильно обмануться? Слушая его, она спрашивала себя, человек ли он вообще. Когда-то, в самом начале их отношений, Энди был совсем другим, и сердце Оливии помнило об этом. И только ради того мужчины, которого она когда-то любила, стоило дослушать его до конца.

— Если я соглашусь на это — а я в этом сомневаюсь, — то сделаю это только из соображений порядочности, а не от жадности и не оттого, что мечтаю от тебя избавиться. Я знаю, как сильно ты во всем этом нуждаешься.

Это будет ее прощальный дар ему, чтобы потом она уже никогда не испытывала вины по поводу того, что покидает его.

— Это все, чего я хочу, Оливия, — сказал побледневший от напряжения Энди. И она знала, что на этот раз он говорит правду.

— Я подумаю об этом, — тихим голосом произнесла она, не зная, что ей теперь делать. Утром она была убеждена в том, что через неделю вернется обратно, в Ла-Фавьер, а теперь перед ней маячила перспектива стать первой леди. Это был кошмар! Но ей все равно казалось, что у нее существуют определенные обязанности перед мужем. Он все еще оставался связанным с ней узами брака, он когда-то был отцом ее ребенка, и она могла помочь ему добиться единственной вещи, которая была ему нужна в жизни. Это был самый щедрый подарок, который можно было сделать человеку. Без нее Белого дома ему не видать.

— Я хочу объявить о своем решении через два дня. Завтра мы возвращаемся в Вашингтон.

— Приятно слышать.

— Где-то тут лежит план нашего предвыборного турне, — как ни в чем не бывало сказал он, наблюдая, однако, за своей женой и спрашивая себя, какое решение она в итоге примет. Он знал ее достаточно хорошо, чтобы понимать, что не сможет принудить ее к чему бы то ни было силой. Теоретически мог бы помочь разговор с ее отцом, но кто знает — может быть, это только ухудшит ситуацию.

Для Оливии эта ночь в отеле была мучительной. Больше всего на свете ей хотелось снова на несколько дней куда-нибудь удрать. Ей нужно было время, чтобы подумать, но теперь было ясно, что телохранители будут следить за ней во все глаза. И еще ей безумно хотелось поговорить с Питером. Что бы он подумал, как бы отнесся к тому, что она готова была оделить Энди этим красивым прощальным даром? Не решил бы он, что она сошла с ума? Пять лет казались ей вечностью. Она знала, что впоследствии она будет вспоминать эти годы как самый страшный кошмар в своей жизни, особенно если ее муж станет президентом.

Однако к утру Оливия собралась с мыслями и встретилась с Энди после завтрака. По его бледности можно было судить, что и он провел нелегкую ночь, — только из-за того, что она может помешать ему выиграть выборы.

— Я хотела было начать с некоей философской тирады, — сказала Оливия, держа в руках чашечку кофе. Энди приказал своим людям удалиться, что было для него довольно необычно. Она не оставалась наедине с ним уже несколько лет — за исключением ночей, — а это было уже второй раз за два дня. Энди смотрел на нее странным взглядом, уверенный, что сейчас она ему откажет. — Но ведь то, что происходит между нами, никакой философией уже не объяснишь, не правда ли? Я просто не перестаю удивляться, как нам удалось дойти до такой мертвой точки! Когда я начинаю вспоминать начало наших отношений, то мне кажется, что ты был в меня влюблен, и мне никогда, наверное, не понять, когда именно произошел перелом. Я помню отдельные события, которые сменяют друг друга, как сюжеты в выпуске новостей. Но выловить тот самый единственный момент, когда молоко начало скисать, я не в состоянии. А ты?

— Я не уверен, что это имеет большое значение, — с какой-то покорностью в голосе ответил Энди. Он уже знал, что она намерена ему сказать. Неужели она настолько мстительна? У него бывали увлечения, он делал в своей жизни много ненужного, но никогда не задумывался над тем, что все это имело для нее значение. И теперь он понял, каким дураком был все это время. — Мне кажется, что это случилось просто потому, что случилось, — добавил он. — И потом, когда убили моего брата... Ты и представить себе не можешь, насколько меня это изменило. Ты очень поддержала меня тогда, но не в этом дело. Внезапно от меня стали ожидать того, чего раньше ожидали от него. Я должен был перестать быть тем, кем я был до этого, и превратиться в него. И мне кажется, что мы с тобой просто потеряли друг друга в этой жизненной перетасовке.

— Может быть, ты должен был сказать мне об этом уже тогда?

Может быть, им не нужно было рожать Алекса, может быть, она должна была расстаться с ним в самом начале. Все равно она ни на что не променяла бы два года жизни ее сына. Но даже это не могло заставить ее завести сейчас еще одного ребенка. Гля-

дя на своего мужа, Оливия поняла, что должна как-
то вывести его из этого жалкого состояния. Казалось,
он не доживет до момента, когда она наконец сообщит ему свой приговор. И она решила завершить все
как можно быстрее:

— Я решила вот что: я согласна жить с тобой
еще пять лет за миллион в год. Я понятия не имею,
что сделаю с этими деньгами, — возможно отдам
благотворительным организациям, или куплю замок в
Швейцарии, или открою исследовательский фонд имени Алекса, — но об этом как раз можно подумать
позже. Ты предложил мне миллион в год, и я на это
согласна. Но и у меня тоже есть свои условия. Я хочу
от тебя гарантии, что после пяти лет — независимо
от того, переизберут тебя на второй срок или нет, —
я буду свободна. Если же ты вообще не выиграешь
выборы, я уйду на следующий день. Никакие претен-
зии с твоей стороны не принимаются. Я готова пози-
ровать для всех фотографий, которые тебе понадобятся,
я готова сопровождать тебя во всех предвыборных
поездках, но мы с тобой больше не муж и жена.
Никому, кроме нас, знать об этом необязательно, но
я хочу, чтобы в этом вопросе были раз и навсегда
расставлены все точки над i. Куда бы мы ни поехали,

я требую, чтобы у меня была отдельная спальня, и никаких детей у нас больше не будет.

Это была резкая, быстрая и прямолинейная речь. Все было кончено. За исключением того, что Оливия только что обрекла себя на пятилетнее заключение. Энди был настолько удивлен, что даже не выглядел довольным.

— И как я должен объяснять отдельные спальни? — обеспокоенно и в то же время удовлетворенно спросил он. Он получил все, чего хотел, — правда, за исключением ребенка, что было основным требованием его менеджера по предвыборной кампании.

— Скажи, что я страдаю бессонницей, — отрезала Оливия, — или кошмарами.

Это было неплохо, и Энди тут же принялся прикидывать, что можно придумать... У него столько работы... нагрузка первого лица государства... В общем, что-то в этом роде.

— А как насчет усыновления? — Энди пытался добиться своего в последних пунктах сделки, но в этом вопросе его жена была неумолима.

— Забудь об этом. Я не покупаю детей ради политики. Нельзя обрекать на такую жизнь кого бы то ни было, а в особенности невинного ребенка. Дети заслуживают лучшей жизни, чем наша, — и лучших родителей. — Иногда она думала о том, чтобы родить или даже усыновить еще одного ребенка, но Энди не должен иметь к этому никакого отношения. Тем более не могло идти и речи о том, чтобы завести ребенка по такому вот соглашению, лишенному и намека на любовь. — Единственно, что мне нужно, — это контракт. Ты юрист и можешь сам его составить — просто договор между нами двумя, без посторонних.

— Но ведь нужны свидетели! — все еще не оправившись от изумления, возразил ее муж. Ее решение повергло его в шок. После всего услышанного предыдущим вечером он был уверен, что она ни при каких обстоятельствах не останется с ним.

— Тогда найди кого-нибудь, кому ты доверяешь, — тихо сказала она, понимая, однако, что в его мире это немыслимо. Любой человек из его окружения немедленно бы продал это известие.

— Я не знаю, что тебе сказать, — растерянно произнес Энди.

— А говорить-то нечего, не правда ли?

Одно мгновение — и Энди уже кандидат в президенты, а от их семейной жизни осталась лишь видимость, пустая оболочка. Думать об этом было грустно, но ни нежности, ни даже простой дружбы между ними теперь не существовало. Предстоящие пять лет обещали быть очень долгими, и про себя Оливия молилась, чтобы он проиграл выборы.

— Почему ты это сделала? — почти ласково спросил Энди, испытывая к своей жене такую благодарность, которую не испытывал ни к кому и никогда.

— Я не знаю. Мне казалось, что я тебе обязана. Это было бы подло — иметь возможность помочь тебе добиться того, чего тебе хочется больше всего на свете, и не воспользоваться ею. Ты ведь не лишаешь меня того, чего я хочу, за исключением свободы. Со временем я собираюсь заняться сочинительством, но это может подождать.

Глаза Оливии сверкнули, и впервые за много лет Энди поймал себя на мысли, что никогда не знал свою жену.

— Спасибо тебе, Оливия, — тихо произнес он, вставая.

— Удачи, — еще тише ответила она.

Энди кивнул и вышел из комнаты, не оглянувшись на нее. А она вдруг поняла, что он даже не поцеловал ее.

Глава 8

Когда парижский самолет коснулся земли в аэропорту Кеннеди, Питера уже ждал лимузин, который он вызвал, будучи в воздухе. С Фрэнком он должен был встретиться в офисе. В каком-то смысле новости были не так плохи, как опасался Питер, но и хорошего было мало. Он понимал, что Фрэнк не сразу разберется, что к чему, и потребуется множество всяких объяснений. Пять дней назад, когда Питер вылетал из Женевы, все было так хорошо...

Был вечер пятницы, июнь, час пик, и пробки на дорогах были чудовищными. То тут, то там на обочинах стояли поврежденные машины. Питер добрался до «Уилсон—Донован» только к шести часам, напряженный и вымотанный. В самолете он в течение нескольких часов разбирал заметки и отчеты Сушара и не мог думать даже об Оливии. В его мыслях были только Фрэнк, «Викотек» и их будущее. Хуже всего было то, что им придется отказаться от участия в слушаниях ФДА и от досрочных испытаний на людях, но это вопрос практический. Питера больше всего волновало то, что Фрэнк будет горько разочарован.

Его тесть ждал его наверху, на сорок пятом этаже «Уилсон—Донован», в большом угловом кабинете, который он занимал в течение почти тридцати лет — с тех самых пор, как компания переехала в это здание. Секретарша вышла в холл и предложила Питеру что-нибудь выпить, но он согласился только на стакан воды.

— Ну наконец-то! — Элегантный и несколько возбужденный, в темном полосатом костюме и с роскошной седой шевелюрой, Фрэнк встал ему навстречу и протянул руку. Уголком глаза Питер заметил бутылку французского шампанского в серебряной корзине со льдом. — К чему все эти тайны? Я ничего не понял из твоих уклончивых сообщений!

Мужчины пожали друг другу руки, и Питер спросил, все ли у него в порядке. Но Фрэнк Донован выглядел здоровым как никто. Для своих семидесяти лет он был полон жизненных сил и до сих пор предпочитал держать все дела под своим контролем. Он почти приказал Питеру рассказать ему, что произошло в Париже.

— Сегодня я встречался с Сушаром, — садясь, сказал Питер. Теперь он уже жалел о том, что никак не предупредил своего тестя по телефону. Запечатанная бутылка шампанского словно была безмолвной обвинительницей. — На его тесты ему потребовалась целая вечность, но я думаю, что игра стоила свеч.

Питер чувствовал, что у него дрожат колени, как у ребенка; ему даже хотелось куда-нибудь сбежать.

— Что это означает? «Зеленая улица» нашему детищу? — Фрэнк подмигнул, но Питер покачал головой и посмотрел своему тестю прямо в лицо:

— Боюсь, что нет, сэр. Один из второстепенных компонентов повел себя не так, как мы предполагали, в первой же серии тестов. Сушар не мог понять, что происходит, и после повторных испытаний пришел к выводу, что либо у нас серьезные проблемы, либо их системы тестирования ошибаются.

— И что в итоге? — Теперь уже помрачнели оба.

— Прокол у нас, я боюсь. Нам нужно заменить один из элементов. Сделав это, мы будем совершенно свободны. Но в настоящий момент, по словам Сушара, если оставить все так, как есть, «Викотек» будет убийцей.

На лице Питера была написана готовность к самой тяжелой реакции, но Фрэнк просто недоверчиво покачал головой и сел в свое кресло, обдумывая то, что только что услышал.

— Это смешно. Мы же лучше знаем. Вспомни, что было в Берлине. И в Женеве. Там испытания продолжались несколько месяцев, и всякий раз все было чисто.

— Но в Париже все оказалось по-другому. И игнорировать это нельзя. По крайней мере ему кажется, что дело в одном-единственном элементе, который можно заменить «достаточно легко». — Питер цитировал слова Сушара.

— Насколько легко? — рявкнул Фрэнк, готовый к любому ответу.

— Он считает, что, если нам повезет, дополнительные разработки могут занять от полугода до года. Если нет — может быть, два года. Но если опять удвоить количество людей, которые этим занимаются, мы, я думаю, сможем достичь результата к следующему году, но не раньше.

Все эти выкладки он сделал в самолете на своем компьютере.

— Это чепуха. На слушаниях ФДА мы должны потребовать разрешения на начало исследований на людях. У нас остается три месяца, и за это время мы должны все успеть. Твоя работа — проследить за этим. Если нужно, вызови сюда этого французского дурака.

— Мы не успеем за три месяца, — ужасаясь словам Фрэнка, возразил Питер. — Это невозможно! Мы должны отозвать свою просьбу о «зеленой улице» из ФДА и отложить наше появление на слушаниях.

— Я не буду этого делать! — повысив голос, ответил Фрэнк. — Мы будем выглядеть смешно. До того как мы предстанем перед ФДА, у тебя будет масса времени на то, чтобы исправить недостатки.

— А если мы их не исправим и они дадут нам разрешение, мы убьем кого-нибудь из пациентов. Вы же слышали, что говорил Сушар, — это опасно. Фрэнк, я не меньше вашего мечтаю о том, чтобы препарат попал на рынок. Но жертвовать людьми ради этого я не собираюсь.

— Я же тебе говорю, — процедил сквозь зубы его тесть, — до слушаний осталось еще три месяца.

— А я не могу выйти на слушания с препаратом, таящим в себе опасность, Фрэнк. Неужели вы не понимаете, о чем я говорю?

Питер впервые в жизни повысил на него голос. Но после долгого полета и нескольких полубессонных ночей он смертельно устал. Фрэнк вел себя как лунатик, настаивая на том, чтобы дать «Викотеку» «зеленую улицу», после того как Сушар ясно сказал им, что препарат—убийца.

— Вы слышите меня? — повторил он, и старик покачал головой в безмолвной ярости:

— Нет! Ты знаешь, чего я от тебя хочу по этому вопросу. Теперь выполняй! Я не намерен бросать коту под хвост дополнительные деньги, чтобы дальше развивать этот проект. Либо он оправдает себя сейчас, либо не оправдает вообще. Ясно?

— Вполне, — тихо ответил Питер, вновь обретая контроль над собой. — Тогда, я думаю, он себя не оправдает. Вам решать, проводить дополнительные исследования или нет, — уважительно добавил он, что только заставило Фрэнка еще раз взорваться:

— Я даю тебе три месяца!

— Мне нужно больше, Фрэнк. И вы это знаете.

— Мне все равно, что ты будешь делать. Просто организуй все так, чтобы успеть к слушаниям в сентябре.

Питер хотел было сказать ему, что это безумие, но не осмелился. Кто мог знать, что Фрэнк способен принимать такие опасные решения? Он вел себя абсолютно неразумно, и его действия могли нанести компании серьезный вред. Это было смешно, и Питер надеялся только на то, что к утру старик придет в себя. Подобно Питеру, он сейчас был просто разочарован.

— Мне очень жаль, что я принес вам дурные вести, — тихо сказал он, спрашивая себя, возьмет ли Фрэнк его с собой, когда поедет в Гринвич в своем лимузине. В этом случае путешествие могло оказаться длинным и неудобным, но Питеру не хотелось заканчивать разговор с ним на такой ноте.

— Я думаю, что Сушар не в себе, — злобно проворчал Фрэнк, подходя к двери, чтобы открыть ее. Для Питера это был знак удалиться.

— Я тоже очень расстроился, — честно признался Питер. Он смертельно устал, а Фрэнк, похоже, даже не понял, насколько недопустимые вещи он произносит. Нельзя требовать преждевременных клинических исследований с целью как можно быстрее выпустить на рынок препарат, который достаточно опасен и не доведен до безупречного состояния, — в противном случае это прямой путь к беде. И Питер не мог понять, почему Фрэнк отказывается смириться с этим.

— И ты из-за этого проторчал в Париже целую неделю? — спросил Фрэнк, явно сердитый на него. Питер не по своей вине оказался дурным вестником.

— Да. Я подумал, что все будет быстрее, если я сам его подожду.

— Может быть, нам вообще не стоило давать ему препарат на испытание?

Питер не верил своим ушам.

— Я уверен в том, что вы посмотрите на все это иначе, когда подумаете над этим и прочитаете отчеты. — Питер протянул ему пачку бумаг из своего кейса.

— Отдай их в исследовательский отдел, — нетерпеливо отмахнулся Фрэнк. — Я не собираюсь читать эту макулатуру. Они просто хотят оттянуть наш успех — только и всего. Я знаю, какую работу выполняет Сушар. Он настоящая нервная старуха.

— Он — заслуженный ученый, — твердо возразил Питер, намеренный держаться до конца. Встреча с Фрэнком от первых слов до последних превратилась в кошмар. — Я думаю, что мы должны еще раз обсудить все это в понедельник, когда вы немного переварите неприятные новости.

— Здесь нечего переваривать. Я даже не собираюсь еще раз возвращаться к этой теме. Я уверен в том, что отчеты Сушара — это всего лишь истерика на бумаге, недостойная моего внимания. Если ты другого мнения — это твое дело. — Фрэнк сузил глаза и погрозил ему пальцем. — И я не хочу, чтобы это вообще обсуждалось в фирме. Скажи обеим исследовательским группам, чтобы держали язык за зубами. Если поползут слухи, ФДА откажет нам в участии в слушаниях.

Питеру почувствовал себя персонажем сюрреалистического фильма. Фрэнку явно пора на покой, если он способен принимать такого рода решения. У них не было выбора. Нельзя представлять «Викотек» ФДА, пока препарат не будет готов. И он совершенно не мог понять, почему Фрэнк не хочет его слушать. Его тесть не утратил своего раздражения, даже перейдя к следующему деловому вопросу.

— Когда ты уехал, мы получили уведомление из конгресса, — проворчал он. — Они хотят, чтобы наш представитель осенью выступил на заседании подкомитета с докладом о высоких ценах на фармацевтическую продукцию на современном рынке. Очередные идиотские вопросы от правительства, почему мы не раздаем лекарства бесплатно на каждом углу, хотя делаем это в больницах и в странах третьего мира. В конце концов, это же промышленное предприятие, а не благотворительная организация! И не думай, что «Викотек» будет стоить столько же, сколько аспирин! Я этого не допущу!

У Питера волосы встали дыбом при этих словах. Основной целью их работы было сделать препарат доступным для широких масс, для людей, которые живут в отдаленных районах, где трудно или даже невозможно получать регулярное медицинское обслуживание, — как это было с его матерью и сестрой. Если «Уилсон— Донован» поставит большую цену, это будет противоречить основному назначению препарата, и Питер, чувствуя подступающую панику, понял, что должен бороться.

— Я думаю, что цена в данном случае — очень важный вопрос, — собрав все свое спокойствие, ответил он.

— И конгресс тоже так думает! — рявкнул Фрэнк. — Разумеется, они зовут нас не только для этого — их цели шире, но мы должны отстаивать высокие цены. В противном случае они напомнят нам об этом, как только «Викотек» будет выброшен на рынок.

— Мне кажется, нам нужно придерживаться низкой цены, — возразил Питер, чувствуя, как сильно бьется его сердце. Ему не нравилось то, что он слышал. Речь шла только о прибыли. Они разрабатывали чудо-лекарство, и Фрэнк Донован намерен был выжать из этого все до последней капли.

— Я все уже решил. Поедешь ты! Я думаю, что это можно будет сделать в сентябре, совместив это с присутствием на слушаниях ФДА. Ты в любом случае окажешься в Вашингтоне.

— Может быть, и нет, — раздраженно ответил Питер, решив отложить все споры на потом. Он был в полном изнеможении. — Может быть, поедем вместе в Гринвич? — вежливо добавил он, надеясь поменять тему. Он все еще не мог оправиться от упрямства Фрэнка. Это выходило за всякие рамки.

— Я обедаю в городе, — почти грубо сказал Фрэнк. — Увидимся в уик-энд.

Наверняка Фрэнк и Кэти что-нибудь уже запланировали, и жена сообщит ему об этом, как только Питер приедет. Но сейчас он мог думать только о том, насколько ненормальной была позиция Фрэнка. Может быть, это просто признак старости? Ни один человек в здравом уме не решился бы запрашивать у

ФДА преждевременного выпуска потенциально опасного препарата, особенно после того что сказал Сушар. Дело было не в соблюдении законов или тех или иных обязательств, а просто в чувстве моральной ответственности. Что было бы, если после поступления в продажу «Викотек» послужил бы причиной чьей-нибудь гибели? Питер нисколько не сомневался в том, что в этом случае ответственность легла бы на плечи Фрэнка.

Час, проведенный в дороге, помог ему успокоиться после встречи с Фрэнком. Когда он приехал домой, Кэти и все трое его сыновей болтались на кухне. Она пыталась приготовить барбекю, а вызвавшийся ей помочь Майк сидел на телефоне, договариваясь о свидании с девушкой. Пол бездельничал. Сокрушенно посмотрев на жену, Питер снял пиджак и надел фартук. Во Франции сейчас было два часа ночи, но он не был дома целую неделю и испытывал чувство вины.

Он попытался поцеловать Кейт, но она отстранилась от него, и Питер удивился ее холодности. Неужели она заподозрила что-то про Париж? Телепатические способности слабого пола всегда поражали его. Он ни разу не изменил ей в течение восемнадцати лет, и в первый же раз, когда он это сделал, она об этом догадалась. Дети почти мгновенно исчезли, а Кейт разговаривала с ним ледяным тоном в течение всего обеда. Как только они ушли, она сказала нечто, отчего сердце Питера ухнуло в пятки.

— Папа говорит, что ты ему сегодня нагрубил, — тихо произнесла она, укоризненно глядя на мужа. — На мой взгляд, ты не должен так поступать. Тебя не было целую неделю, и папа с таким нетерпением ожидал праздничного ленча в честь «Викотека», а ты все испортил!

Итак, она переживала не по поводу другой женщины, а по поводу отца. Как обычно, она защищала его, даже не зная, что именно произошло.

— Я ничего не портил, Кейт, это сделал Сушар, — чувствуя себя окончательно измотанным, сказал Питер. С обоими Донованами сразу он бороться не мог. Он почти не спал всю неделю и не был готов к такой встрече, не говоря уже о том, что необходимость защищать перед ней те решения, которые он принимает на работе, серьезно удручала его. — Французская лаборатория выявила серьезную проблему, недостаток в «Викотеке», который может послужить причиной смерти пациента. Мы должны многое в нем изменить. — Он говорил спокойным и знающим тоном, но Кэти все равно смотрела на него подозрительно.

— Папа говорит, что ты отказываешься представлять его на слушаниях. — Ее почти жалобный голос наполнил всю кухню.

— Да, конечно. Неужели ты думаешь, что я выставлю перед ФДА продукт с серьезными недостатками, чтобы добиться преждевременного выхода на рынок и продавать его ничего не подозревающим людям? Это смешно. Я не понимаю, почему твой отец отреагировал на это именно так. Но я уверен в том, что, прочитав отчеты, он изменит свое мнение.

— Папа говорит, что ты ведешь себя как ребенок, что отчеты составлены человеком, склонным к истерикам, и что никаких поводов для паники нет. — Кэти была безжалостна, и Питер двинул челюстью, словно у него болел зуб. Он не намерен был обсуждать с ней это.

— Я не думаю, что сейчас время говорить об этом. Мне кажется, что твой отец просто расстроился — так же как и я. Поверь, мне тоже не хотелось, чтобы результаты были именно такими. Но отрицание — это не ответ.

— Ты выставил его дураком! — сердито сказала жена, и на этот раз Питер не выдержал.

— Он так и вел себя, а ты ведешь себя как его мать, Кейт. Это не просто разговор между мной и Фрэнком, это серьезная деловая проблема, и от нашего решения зависит жизнь и смерть людей. Ты не должна вмешиваться и даже обсуждать то, что тебя абсолютно не касается.

Питер пришел в настоящее бешенство, поняв, что Фрэнк позвонил ей и нажаловался, как только он вышел из офиса. Внезапно он вспомнил все, что говорила Оливия. Она была права. Кейт пыталась управлять его жизнью, так же как ее отец. И его раздражало то, что он заметил это только сейчас.

— Папа сказал, что ты даже не хочешь ехать в конгресс, чтобы выступить по поводу цен. — В голосе Кейт звучала личная обида, и Питер только вздохнул, чувствуя себя абсолютно беспомощным.

— Я этого не говорил. Я сказал только, что сейчас нужно придерживаться низких цен, но никакого решения по поводу конгресса я еще не принял. Я пока ничего не знаю.

Но Кейт уже знала. Фрэнк рассказал ей все. И как всегда, она знала больше, чем ей полагалось знать.

— Почему ты так странно себя ведешь? — не унималась Кейт, когда Питер, еле стоя на ногах от

усталости и перемены времени, принялся за мытье
посуды. В глазах у него двоилось.

— Тебя это не касается, Кейт. Позволь своему
отцу самому управлять «Уилсон—Донован». Он знает,
что делает.

И он не должен жаловаться своей дочери. Лицо
Питера постепенно приобретало мертвенную бледность.

— Именно это я тебе и говорю! — торжеству-
юще сказала Кейт.

Похоже, она даже встретила его без особой радости. У нее было только одно желание — защитить
от него своего отца. Ей было совершенно наплевать
на усталость Питера, на то, как он сам был огорчен
проблемами с «Викотеком» и невозможностью выйти
с этим на ФДА. Отец занимал все ее мысли. Теперь
Питеру это было совершенно очевидно. Глядя на нее,
он ощущал почти физическую боль.

— Пусть мой отец сам принимает решения, —
продолжала Кэти. — Если он говорит, что ты можешь представить это на ФДА, то я не понимаю,
почему бы этого не сделать? И если он считает,
что ты должен выступить в конгрессе с докладом о
ценах, то почему ты не можешь доставить ему удовольствие?

Питеру захотелось громко закричать.

— Дело не в том, чтобы предстать перед конгрессом, Кейт. И преждевременное представление ФДА продукта, который таит в себе потенциальную опасность, — это самоубийство как для компании, так и для пациентов, решивших воспользоваться им, не подозревая о возможном летальном исходе. Ты будешь принимать талидомид, зная, что это такое? Нет, конечно. Будешь ли ты требовать у ФДА разрешить его скорейшее массовое применение? Нет. Если тебе становится известно, что некоторые компоненты того или иного препарата смертельны, то это нельзя игнорировать, Кейт. Это ненормально, так что идти на ФДА еще рано. Нельзя рисковать жизнью людей.

— Мне кажется, папа прав. Ты просто трус! — резко сказала Кэти.

— Я не могу в это поверить, — ошарашенно произнес Питер, глядя на свою жену. — Это он сам тебе так сказал? — Кейт кивнула в ответ. — Я думаю, что он переутомился, и не хочу, чтобы ты участвовала в этих делах. Меня не было дома почти две недели. Глупо в первый же вечер ссориться с тобой из-за твоего отца.

— Тогда не надо его мучить. Он очень расстроился из-за того, как ты себя сегодня вел. Я считаю, Питер, что это низко. Ты должен относиться к нему с добротой и уважением, а ты...

— Когда мне потребуется отчет о моем поведении, Кейт, я дам тебе знать. Но пока я хочу, чтобы мы с твоим отцом сами во всем разобрались. Он взрослый человек и не нуждается в твоей защите.

— Может быть, нуждается. Он почти вдвое старше тебя, и если ты не будешь относиться к нему уважительно, а будешь разговаривать с ним так грубо, как сегодня, ты сведешь его в могилу.

Казалось, Кейт вот-вот заплачет. Питер сел и снял галстук. Он не мог поверить собственным ушам:

— Господи, да прекратишь ты или нет? Это смешно. Он взрослый немолодой мужчина. Он может сам о себе позаботиться, и мы не должны ссориться из-за него. Если ты не дашь мне передохнуть, то в могилу раньше времени сойду я. Я почти не спал всю неделю, настолько меня беспокоили эти лабораторные испытания.

И еще Оливия, и три ночи в разговорах с ней, и путь от Ла-Фавьера. Об этом Питер, разумеется, говорить не стал: случившееся в Париже казалось ему таким нереальным, что он даже не верил, что это с ним произошло. Кейт катапультировала его в настоящую жизнь с силой ядерного взрыва.

— Я не знаю, почему ты так жесток с ним! — сказала она, вытирая нос, и Питер молча уставился на нее, спрашивая себя, не сошли ли оба Донована с ума.

Речь шла об их продукции. Нужно было решить определенные проблемы. Никаких личных вопросов затронуто не было. Его отказ предстать перед ФДА не был бунтом против Фрэнка. Он не понимал, почему Кэти воспринимает его искренность в беседе с отцом как оскорбление. Неужели всегда так и было? Или просто сейчас внезапно положение ухудшилось? Он так устал, что ему было трудно удерживать все это в голове. Кэти заплакала, и это оказалось последней каплей — Питер встал и обнял ее:

— Я не был жесток с ним, Кейт, поверь мне. Может быть, у него был неудачный день? И у меня тоже. Пойдем спать, пожалуйста... Я так устал, что мне кажется, будто я умираю.

Может быть, расставание с Оливией так на него повлияло? Теперь это было уже трудно понять.

Кейт весьма неохотно улеглась рядом с ним в их супружескую постель, все еще жалуясь на его несправедливое отношение к ее отцу. Это было так смешно, что Питер в какой-то момент перестал отвечать ей и через пять минут уже спал. Ему снилась девушка на побережье. Она смеялась и махала ему рукой. Питер побежал к ней, думая, что это Оливия, но, когда он оказался с ней рядом, выяснилось, что это Кэти, сердитая и угрюмая. Она кричала на него; слушая ее, Питер видел, как Оливия исчезает вдали.

Проснувшись на следующее утро, он почувствовал, что его голова отяжелела. Чувство вселенского отчаяния завалило его, словно горная лавина. Он не мог понять, в чем дело и почему он так себя чувствует, но через мгновение, оглядев до боли знакомую ему обстановку спальни, он все вспомнил. Вспомнил другую комнату, другой день, другую женщину. Трудно было поверить, что это было всего два дня назад. Казалось, прошла целая жизнь. Он лежал в постели, думая о ней, и тут вошла Кэти и сообщила, что днем они с отцом играют в гольф.

Оливия исчезла, мечта осталась в прошлом. Он вернулся домой, к реальности. Это была та же жизнь, которую он вел всегда, только внезапно она показалась ему совсем иной.

Глава 9

Постепенно все успокоилось. Настроение Кэти стало немного получше, и она перестала защищать своего отца так, как будто это был маленький ребенок. Они постоянно общались, и спустя несколько дней после того, как Питер вернулся домой, она и ее отец пришли в более спокойное состояние духа. Питер всегда любил, когда дети были дома, хотя в этом году они, казалось, проводили с родителями все меньше и меньше времени. Майк получил водительские права и всюду возил своего брата Пола. Это несколько облегчило Кэти жизнь, хотя теперь дети постоянно где-то пропадали. Даже Патрик, влюбившийся в соседскую девочку, проводил бо́льшую часть дня у нее.

— Что у нас в этом году? Проказа? — жаловался как-то Питер жене за завтраком. — Мы почти не видим детей. Их вечно где-то носит. А я-то думал, что когда они приедут из своих интернатов, мы будем проводить вместе больше времени.

Без них он чувствовал себя явно обездоленным. Он любил проводить время со своими детьми, и недостаток общения с сыновьями плохо действовал на него. С ними было весело и легко, как со старыми друзьями, а этого его уже давно лишила Кэти.

— Ты будешь общаться с ними все лето, — спокойно ответила она. Кейт в большей степени привыкла к их приходам и уходам, и насыщенная жизнь мальчиков не беспокоила ее. На самом деле она не ценила их так, как ценил Питер. Он всегда был потрясающим отцом, даже когда дети были совсем маленькими.

— Может быть, мне стоит назначить с ними встречу? Я имею в виду, что до августа осталось целых пять недель. Я очень скучаю по ним и в итоге проведу вместе с ними только месяц. — Питер говорил полушутливо, и Кейт рассмеялась.

— Но ведь они уже взрослые, — произнесла она как нечто само собой разумеющееся.

— Неужели это означает, что я уволен из отцов? — пораженно спросил Питер. — В четырнадцать, шестнадцать и восемнадцать мальчики не особенно нуждаются в родителях?

— В какой-то степени. Но ты же можешь играть в гольф с моим папой.

Ирония ситуации заключалась в том, что она проводила с отцом больше времени, чем их сыновья — со своими родителями. Но Питер не стал ей на это указывать.

Отношения между Питером и Фрэнком стали довольно напряженными. Правда, Фрэнк одобрил неслыханные вложения в разработку «Викотека», удвоенные силы, работавшие посменно — днем и ночью, но отказываться от участия в слушаниях ФДА он по-прежнему не хотел, несмотря на то что Питер неохотно согласился выступить перед конгрессом, чтобы доставить удовольствие отцу Кэти.

Ему не слишком-то хотелось это делать, но данный предмет не стоил таких споров, а для фирмы присутствие там Питера было вопросом престижа. Но он не одобрял идею защиты высоких цен, которые их компания и множество их конкурентов устанавливали на рынке. Однако как указывал Фрэнк, они занимались бизнесом ради прибыли. Да, они стремились вылечить болезни человечества, но и решили заработать на этом деньги. Правда, Питер хотел, чтобы с «Викотеком» все было по-другому, и надеялся убедить Фрэнка в том, что они получат прибыль скорее на больших объемах продаж, чем на астрономических ценах. Поначалу конкурентов этому препарату не будет.

Тем не менее в настоящее время Фрэнк не хотел это обсуждать. Ему нужно было только одно — обещание Питера, что он все-таки попытается выставить «Викотек» перед ФДА в сентябре. Это стало для него своего рода навязчивой идеей. Он хотел выбросить препарат на рынок как можно быстрее, любой ценой, чтобы не только попасть в историю, но и заработать несколько миллионов долларов.

Он продолжал настаивать на том, что у них много времени и, если им повезет, они смогут «устранить эти мелочи» к сентябрю. В конце концов Питер прекратил с ним спорить, зная, что, если понадобится, они смогут отказаться от участия в слушаниях позднее. Оставался слабый шанс, что они успеют, но, по мнению Сушара, это было сомнительно. И Питер считал, что цели Фрэнка нереальны.

— А почему бы не пригласить Сушара сюда? Это несколько ускорило бы процесс, — предложил Питер, но Фрэнк не считал это удачной мыслью.

Когда Питер позвонил Полю-Луи, чтобы обсудить с ним эту возможность, ему сказали, что доктор Сушар в отпуске. Питер удивился и почувствовал легкое раздражение: время для отпуска было выбрано не самое удачное. Никто в Париже не знал, где он находится, и Питер был не в состоянии его разыскать.

Только в конце июня все немного успокоилось. Фрэнку, Кейт и мальчикам настало время уезжать на летний отдых на Мартас-Виньярд. Питер намеревался провести с ними уик-энд на Четвертое июля, а потом вернуться в город и начать усиленную работу. Он собирался жить в городе, в квартире, принадлежавшей компании, и работать дольше, чем обычно, а на выходные приезжать к своей семье. С понедельника по пятницу он будет трудиться бок о бок с учеными и помогать им любыми способами. Он любил городскую жизнь. В Гринвиче, без Кейт и детей, ему было бы страшно одиноко. Теперь же у него появилась грандиозная возможность поработать в свое удовольствие.

Но не только работа была у него на уме в это время. Две недели назад он увидел в газетах сообщение, что Энди Тэтчер намеревается баллотироваться в президенты: сначала на предварительных выборах, а если он выиграет их, то и на основных — через год после ноября. Питер с интересом отметил, что во время пресс-конференций Оливия неизменно стояла у него за спиной. Они обещали друг другу даже не пытаться наладить связь, так что он не мог позвонить ей и спросить об этом. Это постоянное присутствие Оливии рядом с Энди Тэтчером несколько смущало Питера, и он спрашивал себя, что это означает, — ведь она собиралась расстаться с ним. Однако они договорились не общаться, и Питер, хотя это было ужасно тяжело, держал свое обещание. Он решил, что ее регулярные появления на публике вместе с Энди на политической арене могут значить только одно — она решила с ним не разводиться. Интересно почему и повлиял ли как-нибудь Энди на ее решение? Зная, что он сделал с ней и с их взаимоотношениями, трудно было предположить, что она сделала это из большой любви. Единственное, что могло подвигнуть ее на такой поступок, — это чувство долга. Питер не хотел верить в то, что она делает это потому, что любит его.

Было странно продолжать прежнюю жизнь после их короткого романа во Франции. И Питер не мог не спрашивать себя, изменилась ли для нее жизнь в той же степени, что и для него. Поначалу он отчаянно пытался противостоять этим чувствам, убедить себя в том, что все осталось по-прежнему. Однако вещи, которые никогда раньше его не раздражали, внезапно превратились в мучительные проблемы. Все, что говорила Кейт, казалось ему связанным с ее отцом. Работать стало труднее. Работа над «Викотеком» пока не приносила видимых результатов. И Фрэнк никогда не был таким несговорчивым, как сейчас. Даже его сыновья, казалось, в нем не нуждались. Хуже того — Питер чувствовал, что в его жизни больше нет места радости, восторгу, тайне, романтике. Не было того, что он делил с Оливией во Франции. И самое ужасное то, что ему не с кем было поговорить. В последние годы он никогда не задумывался над тем, насколько отдалились они с Кэти друг от друга, насколько она была занята совершенно другими вещами — своей общественной деятельностью и подругами, своими женскими комитетами. Для него в ее жизни, казалось, не осталось больше места; единственный мужчина, который что-то значил для нее, был ее отец.

Питер спрашивал себя, стал ли он более чувствительным к таким вещам или же утратил прежнюю объективность, переутомился, не выдержал этой неудачи с «Викотеком». Но дело явно было не в этом. И даже когда он Четвертого июля приехал на Мартас-Виньярд, все раздражало его. Среди их друзей он чувствовал себя не в своей тарелке; с Кэти у него контакта не было, а мальчиков он почти не видел даже здесь. Казалось, все изменилось в какой-то момент, которого он не уловил, и его счастливая жизнь с Кэти кончилась. Было очень странно наблюдать за этим медленным прозрением. Кроме того, могло быть и так, что он неосознанно сам сводит их отношения на нет, словно для того, чтобы оправдать время, проведенное с Оливией на юге Франции. При фактически несуществующем браке это было бы более понятно и простительно, но при, так сказать, живой жене с этой изменой было трудно жить.

Он ловил себя на том, что искал фотографии Оливии в газетах, а Четвертого июля он видел Энди по телевизору. Сенатор проводил очередное турне по Кейп-Коду, и репортаж велся прямо с его огромной яхты, стоявшей на якоре в порту. Питер подозревал, что Оливия где-то рядом, но так и не смог ее увидеть.

— Что это ты смотришь телевизор средь бела дня? — осведомилась Кэти, случайно заглянув в их комнату.

Питер взглянул на нее и не мог не отметить ее все еще элегантной фигуры. На ней был ярко-синий купальник и золотой браслет с сердечком, который он купил ей в Париже. Но Кейт, светловолосая, с несколько надменным выражением лица, не производила на него такого ошеломляющего впечатления, как Оливия при каждой встрече. Питер снова почувствовал приступ вины, заставив Кейт забеспокоиться.

— Что случилось? — спросила она. Отношения между ними в последнее время несколько осложнились. Он стал гораздо чувствительнее и раздражительнее, чем прежде, что было для нее несколько необычно. Это изменение произошло с ним после поездки в Европу.

— Нет, все в порядке. Я просто хотел посмотреть новости. — Он отвернулся и нажал на кнопку пульта с каким-то рассеянным выражением.

— Пойди лучше искупайся, — улыбаясь посоветовала Кейт.

Ей всегда здесь было хорошо. Очаровательное место, и их дом стоял на самой оживленной улице. Кэти нравилось жить в окружении детей и их друзей. Питеру тоже тут всегда нравилось, хотя этим летом все казалось ему немного другим. Нагрузка, связанная с усиленной работой над «Викотеком», давала о себе знать. Кейт надеялась только на то, что все будет хорошо и что они добьются тех результатов, которые были нужны Питеру и ее отцу. Но в последнее время Питер казался ей каким-то несчастным и далеким.

Прошло еще две недели, прежде чем Питер обнаружил потрясшую его истину. Положив трубку, он некоторое время сидел уставившись в пространство. Он не мог поверить в то, что услышал. Немедленно сорвавшись с места, Питер поехал на Мартас-Виньярд, чтобы лично обсудить происшедшее с отцом Кейт.

— Вы уволили его? Почему? Как вы могли так поступить?

Фрэнк Донован предпочел избавиться от вестника, принесшего дурные новости. Он до сих пор не мог понять, что на самом деле, если смотреть в перспективу, Поль-Луи спас их.

— Он идиот! Нервная старуха, которой чудятся демоны в темных углах. Незачем было оставлять его в числе сотрудников.

Впервые за восемнадцать лет Питер подумал, что его тесть сошел с ума.

— Он один из крупнейших ученых во Франции, Фрэнк, и ему сорок девять лет. Что же вы делаете? Мы могли бы привлечь его к нашим исследованиям, чтобы ускорить их.

— Наши исследования и без того идут превосходно. Вчера я встречался с моими людьми, и они сказали мне, что будут готовы к Дню труда. К этому времени в «Викотеке» не останется никаких изъянов — ни «недостатков», ни «демонов», ни опасности.

Питер, однако, ему не верил:

— А вы можете это доказать? Вы уверены? Поль-Луи сказал, что исследование может занять целый год.

— Это мое дело. Он не знал, что говорил.

Питера напугали действия Фрэнка. Порывшись в архиве компании, он отыскал координаты Поля-Луи и позвонил ему в первый же вечер, когда вернулся в Нью-Йорк, чтобы сказать, как ему жаль, и поговорить с ним о «Викотеке» и их прогрессе.

— Вы кого-нибудь убьете, — сказал Поль-Луи со своим тяжелым французским акцентом. Однако он был тронут звонком Питера, которого всегда очень уважал. Сначала ему сказали, что увольнение произошло по инициативе Питера, но потом он узнал, что приказ исходил непосредственно от председателя. — Все равно нельзя сейчас запускать его, — настойчиво повторил он. — Вы должны пройти все испытания, а это займет много месяцев, даже если над препаратом будут днем и ночью трудиться удвоенные команды. Вы не должны допустить преступления.

— Я обещаю вам это. Спасибо за то, что вы сделали для нас. Мне просто очень жаль, что так получилось, — очень искренне сказал Питер.

— Ничего страшного, — пожал плечами француз, философски улыбаясь. Он уже получил предложение от немецкой фармацевтической фирмы, имевшей большую фабрику во Франции, но ему хотелось несколько оттянуть окончательное решение, и он уехал в Англию, чтобы немного отдохнуть. — Я все понимаю. И желаю вам удачи. У вас может получиться замечательное лекарство.

Они еще немного поговорили, и Поль-Луи пообещал не терять с ним связь. На следующей неделе Питер более подробно следил за результатами работы его подчиненных и понял, что Поль-Луи был прав — им действительно еще очень много нужно было сделать, прежде чем давать препарату «зеленую улицу».

Но к концу июля дела пошли гораздо лучше. Питер уезжал в отпуск на Мартас-Виньярд очень ободренный, потребовав, чтобы ему ежедневно присылали по факсу отчеты о работе. В результате он так и не смог толком расслабиться и отдохнуть. Казалось, Питер накрепко привязан кабелем факса и к исследованиям по «Викотеку», и к своему офису.

— Ты совсем не отдыхаешь в этом году, — жаловалась жена, не обращая, однако, на него должного внимания. У нее была масса друзей, работа в саду, и она проводила много времени у отца, участвуя в ремонте дома и давая советы, стоит или нет обновлять кухню. Кэти помогала ему развлекать его друзей и организовала несколько обедов, на которые ходила вместе с Питером, что не слишком-то нравилось последнему. Он видел, что жена практически не бывает рядом с ним; всякий раз, когда они встречались, она была на пути к дому своего отца.

— Что с тобой происходит? Ты ведь никогда раньше не ревновал меня к папе. Мне кажется, что вы просто разрываете меня на части, — раздраженно говорила Кейт. Питер всегда так спокойно относился к ее общению с Фрэнком, а теперь он постоянно укорял ее за это. А отец тоже вел себя не лучше — он все еще не простил Питеру его позицию по поводу «Викотека».

Между двумя мужчинами в этом году существовало осязаемое напряжение, и к середине августа Питер начал мечтать о возвращении в город, оправдываясь тем, что ему необходимо работать. Он устал. Может быть, дело было в нем самом, но он несколько раз ссорился с детьми, считал, что Кэти временами бывает просто невыносимой, и ему до смерти надоело ходить в дом Фрэнка обедать. В довершение всего стояла плохая погода, постоянно лили дожди, а с Бермудов надвигался ураган.

На третий день Питер отправил всех в кино, а сам проверил ставни и закрепил мебель на террасе. Чуть позже он сидел перед телевизором и ел. Сначала передавали игру в мяч, потом он переключил канал, чтобы посмотреть новости об урагане «Энгус».

И вдруг на экране возникла огромная парусная шлюпка, а вслед за ней — фотография сенатора Энди Тэтчера. Ошеломленный Питер слушал, как диктор говорил о «...трагедии, произошедшей прошлой ночью. Тела погибших еще не найдены. Сенатор отказывается давать комментарии».

— О Господи! — вслух сказал Питер, вставая и кладя сандвич на стол. Он должен был узнать, что с ней случилось. Жива ли она, не ее ли тело ищут? Еле сдерживая слезы, он принялся судорожно рыскать по каналам.

— Привет, папа. Кто подает? — спросил вернувшийся из кино Майк, проходя через комнату. Питер не слышал, как его семейство вошло в дом. Когда он повернулся к сыну, вид у него был как у привидения.

— Никто не подает.. и вообще это не спорт... я не знаю... не обращай внимания... — Он снова уставился в экран, и когда Майк вышел из комнаты, Питер нашел на втором канале то, что искал, и услышал все с самого начала.

Во время плавания на принадлежавшей Энди парусной шлюпке длиной тридцать восемь метров они попали в шторм около Глучестера. Несмотря на размеры и устойчивость, шлюпка наткнулась на камни и затонула меньше чем за десять минут. На борту находилось около десяти человек. Шлюпка была оснащена компьютерами, и Тэтчер вел ее сам при помощи единственного матроса и нескольких друзей. На настоящий момент несколько пассажиров пропали без вести, но сам сенатор не пострадал. Его жена была на борту, так же как и ее брат, младший конгрессмен из Бостона Эдвин Дуглас. Жену конгрессмена и обоих маленьких детей, к сожалению, смыло за борт. Тело женщины было найдено сегодня рано утром, а никого из детей еще не нашли.

Не переводя дыхания, дикторша сообщила, что жена сенатора, Оливия Дуглас Тэтчер, едва не утонула. Ночью ее подобрала береговая охрана, и теперь она находится в больнице Аддисон-Джилберт в критическом состоянии. Когда ее обнаружили, она была без сознания; на поверхности воды она удержалась только благодаря спасательному жилету.

— О Господи... о Господи... — повторял Питер. Оливия... Она так боялась океана. Он мог только воображать себе, что с ней случилось, и в отчаянии строил планы поездки к ней. Но как он это объяснит? И что скажут в новостях? Неизвестный бизнесмен вчера приехал в больницу к миссис Тэтчер и не был допущен к ней. На него надели смирительную рубашку и отправили домой к жене, чтобы он пришел в себя... Питер понятия не имел, как до нее добраться и увидеть ее, не осложняя жизнь им обоим.

Снова усевшись перед телевизором, он понял, что до той поры, пока она в таком состоянии, увидеть ее ему никто не даст. По другому каналу сообщили, что она все еще не пришла в сознание и находится в глубокой коме. На экране вновь замелькали ее фотографии, запечатлевшие все трагедии, которые когда-либо произошли в ее жизни, — точно так же как это было в Париже. Журналисты также оккупировали дом ее родителей в Бостоне и не постеснялись снять сраженного горем брата Оливии, только что потерявшего жену и детей. Смотреть на него было больно, и Питер чувствовал, как по его щекам катятся слезы.

— Что с тобой, папа? — обеспокоенно спросил вернувшийся Майк.

— Нет, все в порядке... просто с моими друзьями случилось несчастье. Это ужасно! Вчера ночью был шторм у Кейп-Кода. Перевернулась шлюпка сенатора Тэтчера. Говорят, что несколько человек погибли и есть тяжелораненые.

А Оливия лежит в коме. Почему это с ней произошло? Что будет, если она умрет? Думать об этом было невозможно.

— Ты знаешь их? — удивленно обронила Кэти, проходя через гостиную в кухню. — Об этом сегодня писали в газетах.

— Я встречал их в Париже, — ответил Питер, боясь сказать больше, как будто по тону его голоса она могла догадаться обо всем или — хуже того — увидеть, что он плачет.

— Говорят, она очень странная. А он, я слышала, собирается баллотироваться в президенты, — сказала Кэти через кухонную дверь.

Питер не ответил. Он как можно тише прошел наверх и уже набирал номер больницы из их спальни.

Но медсестры из Аддисон-Джилберт не сказали ему ничего нового. Он представился близким другом семьи, а в ответ услышал то же самое, что говорили в новостях. Она была в коме и так и не пришла в сознание. «И как долго это может продолжаться?» — спросил Питер, желая засыпать их вопросами, которых не мог задать. Не повредится ли она в рассудке? Не может ли умереть? Увидит ли он ее еще когда-нибудь? Сердце его рвалось к ней, но он не мог позволить себе выплеснуть свои эмоции. Все, что ему оставалось, — это лежать на кровати и вспоминать.

— Что с тобой? — спросила Кэти, которая поднялась наверх в поисках чего-то и с удивлением обнаружила, что он лежит на кровати. В последние несколько дней — да практически все лето — он вел себя странно. И ее отец тоже. Насколько она могла судить, «Викотек» губительно действовал на них обоих, и Кейт злилась, что они вообще взялись за это дело. Препарат не стоил той цены, которую они за него платили. Когда Кэти еще раз взглянула на своего мужа, ей показалось, что у него влажные глаза. Она понятия не имела, что с ним происходит. — Ты не заболел? — обеспокоенно переспросила она, кладя руку ему на лоб. Но температуры у него не было.

— Все в порядке, — сказал он, снова испытывая чувство вины. Но состояние Оливии настолько пугало его, что мысли у него путались. Даже если он никогда больше ее не увидит, мир без ее нежного лица и глаз, которые всегда напоминали ему коричневый бархат, сильно изменится. Ему хотелось подойти к ней, открыть ей глаза и поцеловать. А когда он в следующий раз увидел по телевизору Энди, он почувствовал непреодолимое желание задушить его за то, что он не сидит у постели своей жены. Сенатор говорил о том, что́ они пережили, о том, как быстро их накрыл шторм, как страшно то, что детей не смогли спасти. И каким-то образом в его речи прозвучало то, что, несмотря на наличие погибших и смертельную опасность, которой подверглась его жена, он все равно вел себя как герой.

Этим вечером Питер все время молчал. Обещанный ураган прошел мимо, и Питер снова позвонил в больницу. Но там ничего не изменилось. Для него и для Дугласов, сидевших в больнице, это был кошмарный уик-энд. Поздно вечером в воскресенье, после того как Кэти пошла спать, он снова позвонил — в четвертый раз за день. Когда медсестра сказала ему те слова, которые он мечтал услышать, его колени задрожали.

— Она пришла в себя, — сказала она, и Питер чувствовал, как слезы подступают к его горлу. — Она поправится.

Питер, повесив трубку, закрыл лицо руками и разрыдался. Он был в одиночестве и мог себе позволить выплеснуть наружу свои чувства. В последние два дня он ни о чем другом просто не мог думать. Не будучи в состоянии даже передать ей что-нибудь, Питер все время думал о ней и молился. К удивлению Кейт, воскресным утром он даже пошел в церковь.

— Я не знаю, что с ним произошло, — сказала она отцу во время вечернего телефонного разговора. — Клянусь тебе, это все твой «Викотек»! Я начинаю ненавидеть эту затею. Он от этого сходит с ума, а я зверею.

— Ничего, выберется, — ответил Фрэнк. — Как только препарат будет выпущен на рынок, нам всем станет лучше.

Но Кейт больше не была в этом уверена. Она очень болезненно воспринимала их споры по этому поводу.

На следующее утро Питер снова позвонил в больницу, но ему не дали с ней поговорить. Он продолжал представляться выдуманными именами: на этот раз назвался ее двоюродным братом из Бостона. Ей даже нельзя было послать зашифрованную записку, потому что он понятия не имел, в чьи руки она попадет. Но Оливия была жива и поправлялась. На пресс-конференции ее муж сказал, что ей крайне повезло и через несколько дней она вернется домой. Этим же утром он намеревался улететь на западное побережье.

Его предвыборная поездка продолжалась, и Оливия выбыла из нее лишь на время.

Когда Питер вернулся в гостиную, по телевизору как раз показывали похороны жены и детей Эдвина. Потрясенный беспардонностью журналистов и теле-репортеров, проникших на это скорбное мероприятие, Питер с облегчением увидел, что Оливии там нет. Он знал, что она бы не вынесла этого, — похороны ассоциировались у нее со смертью своего собственного ребенка. Но здесь были ее родители, Эдвин, который едва держался на ногах от горя, и, конечно же, Энди, обнимавший своего зятя. Это было известное полити-ческое семейство, и представители всевозможных газет и телеканалов снимали их с почтительного расстояния.

Оливия смотрела похороны в своей реанимацион-ной палате и плакала навзрыд. Медсестры пытались уговорить ее выключить телевизор, но она настояла на своем. Это была ее семья, и если она и не могла присутствовать на похоронах, то по крайней мере долж-на была это видеть.

Чуть позже Энди дал краткое интервью, в кото-ром говорил о той храбрости, которую они все про-явили, и том героизме, который проявил лично он. Оливии захотелось его убить.

После того как похороны закончились, он даже не позвонил ей, чтобы сообщить, как Эдвин. Оливия позвонила домой и поговорила с отцом, который показался ей пьяным и сказал, что матери пришлось принять снотворное. Это было ужасное время для всех, и Оливия жалела, что сама не погибла вместо несчастных детей и беременной жены Эдвина — хотя об этой беременности никто пока не знал. Оливия считала, что жить ей незачем. Она вела пустое существование, как игрушка в руках эгоиста. Если бы она умерла, всем было бы наплевать, кроме, пожалуй, ее родителей. Потом она вспомнила о Питере и о тех часах, которые они провели вместе. Ей очень захотелось его увидеть, но он, подобно другим людям, которых она когда-то любила, стал теперь для нее частью прошлого, и включить его в настоящее или будущее было невозможно.

Выключив телевизор, она откинулась на подушки и заплакала, размышляя о том, насколько тщетна жизнь. Ее племянник и племянница погибли, ее невестка, ее собственный ребенок... брат Энди — Том. Столько хороших людей! Невозможно было понять, почему одни погибают, а другие остаются.

— Как дела, миссис Тэтчер? — ласково спросила одна из сестер, увидев, что она плачет.

Все вокруг замечали, насколько она несчастна. Вся
ее семья уехала в Бостон на похороны, и к ней никто
не приходил. Внезапно медсестра, очень жалевшая
ее, вспомнила одну вещь:

— После того как вас сюда привезли, кто-то регулярно звонит вам через каждые несколько часов.
Это мужчина. Он говорит, что он ваш старый друг, —
сестра улыбнулась, — а сегодня утром сказал, что
он ваш двоюродный брат. Но я уверена, что это один
и тот же человек. Он не представился, но мне кажется, что его очень беспокоит ваша судьба.

Не колеблясь ни минуты, Оливия поняла, что это
Питер. Кто еще мог ей названивать, боясь оставить
свое имя? Должно быть, он. Оливия подняла полные
тоски глаза и посмотрела на сиделку:

— В следующий раз я хотела бы с ним поговорить. — Покрытая чудовищными ссадинами от об-
ломков шлюпки, она была похожа на побитого ребенка.
Это было ужасное приключение, и Оливия уже дала
себе клятву, что больше никогда не выйдет в океан.

— Я соединю вас, если он еще раз позвонит, —
пообещала сестра и вышла.

Но когда Питер позвонил на следующее утро, больная спала, а после этого на дежурство заступила другая сестра.

Оливия лежала в постели и постоянно думала о нем, спрашивая себя, как он, что случилось с «Вико-теком» и слушаниями ФДА. У нее не было никакой возможности узнать о его жизни; кроме того, расставаясь в Париже, они договорились не пытаться связываться друг с другом. Но теперь это казалось ей трудным. Особенно здесь, в больнице. Ей нужно было о стольком подумать, и в жизни ее появилось столько ненавистного. Она пообещала Энди не бросать его, но придерживаться этого обещания стоило ей чудовищных усилий. Теперь же она могла думать только об одном — насколько краткой, непредсказуемой и драгоценной была жизнь. Она продала свою душу на пять лет, которые постепенно начинали казаться ей вечностью. Оставалось надеяться лишь на то, что Энди проиграет выборы. Она знала, что не переживет положения первой леди. Жена президента не может просто так исчезнуть. В течение следующих пяти лет ей придется нести бремя, которое ляжет на ее плечи.

В реанимации она провела еще четыре дня, пока ее легкие полностью не очистились. После этого ее

перевели в другую палату, и тут из Виргинии прилетел Энди. У него были здесь какие-то дела, но как
только он появился в больнице, откуда-то немедленно возникла толпа журналистов, фотокорреспонден-
тов и операторов, которые вторглись в палату и
принялись снимать ее. Оливия спряталась под одеяло, а медсестра попыталась выгнать репортеров вон.
Энди привлекал прессу, словно жадных до крови акул,
а Оливия была как маленькая рыбка, которую они
хотели сожрать.

Но у Энди возникла замечательная идея. На следующий день он назначил для нее в больнице пресс-
конференцию прямо в коридоре рядом с ее палатой.
К ней должны были прийти парикмахер и визажист.
Все было уже подготовлено. Оливия могла выступить перед журналистами, сидя в кресле. Слушая его
объяснения, Оливия чувствовала, что ее сердце под-
прыгивает, а желудок выворачивает.

— Я еще не готова к этому, — сказала она.

Это напоминало ей о том времени, когда после смерти Алекса пресса постоянно охотилась за ней. Теперь ее
будут спрашивать, видела ли она, как погибли ее племянник, племянница и невестка, как она себя чувствовала, когда поняла, что они умерли, а она жива, и как она

это может объяснить. Одна мысль об этом причиняла ей боль, и она в отчаянии замотала головой.

— Я не могу, Энди... прости меня, — вымолвила она, отворачиваясь к стене и спрашивая себя, не звонил ли больше Питер. Ту медсестру она не встречала с тех пор, как была переведена из реанимации, а больше ей никто ничего не говорил. А спросить про человека без имени, который звонил ей в течение нескольких дней, она не могла. Это неизбежно привлекло бы к ней внимание.

— Послушай, Оливия, тебе непременно нужно поговорить с журналистами, а то общественность подумает, что мы что-то скрываем. Ты в течение нескольких дней была в коме. Ты же не хочешь, чтобы страна думала, будто у тебя поврежден мозг или что-нибудь в этом роде?

Энди подразумевал, что так оно и было, а Оливия вспоминала разговор со своим рыдающим братом сегодня утром. Он был в ужасном состоянии, и Оливии, похоронившей в свое время сына, нетрудно было вообразить, что он чувствует. Эдвин потерял всю семью, а Энди теперь уговаривал ее дать пресс-конференцию с инвалидного кресла.

— Мне плевать, что они подумают! Я не намерена этого делать, — твердо ответила она.

— Ты должна! — огрызнулся он. — У нас контракт.

— Меня от тебя тошнит, — сказала Оливия, отворачиваясь от него. На следующий день она отказалась выйти к репортерам. И твердо решила, что не воспользуется услугами парикмахера и визажиста и никогда не появится перед публикой в инвалидном кресле.

Журналисты решили, что с ними ведут какие-то игры, когда Энди провел пресс-конференцию без нее, в вестибюле гостиницы. Он рассказал о ее травме и о чувстве вины из-за того, что она оказалась среди немногих выживших. Он тоже якобы сильно страдал из-за этого, но было очень трудно представить себе Энди Тэтчера, страдающего от чего бы то ни было, за исключением непомерного желания попасть в Белый дом, чего бы ему это ни стоило. Но терять такую возможность Тэтчер не мог и на следующий день лично провел к Оливии в палату трех репортеров.

Перед ними предстала трогательно хрупкая и отчаянно напуганная женщина. Она расплакалась, а сестра и две сиделки заставили журналистов уйти. Тем не менее им удалось сделать с полдюжины фотографий и вернуться в коридор, где они поговорили с Энди. Когда пресса наконец удалилась и Энди вернулся в палату, Оливия в ярости набросилась на своего мужа.

— Почему ты им это позволил? — спрашивала она. — Вся семья Эдвина только что погибла, а я еще не вышла из больницы!

Всхлипывая, Оливия колотила кулачками по груди мужа, переполненная желанием отомстить. Но ведь он должен был доказать журналистам, что она жива и в норме, что она не потеряла рассудок, как начинала подозревать общественность с момента катастрофы. Оливия пыталась сохранить свое достоинство, но это меньше всего на свете интересовало Энди. Он защищал только свою политическую репутацию.

Этим вечером Питер увидел ее фотографии в выпуске новостей, и сердце его наполнилось состраданием к ней. Хрупкая и перепуганная, она лежала в постели и плакала. От выражения одиночества в ее глазах Питер чуть было сам не разрыдался. На ней была больничная рубашка, трубки для внутривенных вливаний тянулись к обеим рукам, и один из журналистов сообщил, что она все еще страдает от пневмонии. Это было драматическое зрелище, которое, разумеется, поможет ее мужу завоевать симпатии избирателей — то есть добиться именно того, к чему он стремился. Выключив телевизор, Питер понял, что может думать только о ней.

Когда Оливию уже собрались выписывать из больницы, она удивила Энди сообщением о том, что не намерена возвращаться с ним домой. Обсудив это с матерью, она решила поехать пожить к ним. Они в ней нуждались, и Оливия собиралась отправиться в их дом в Бостоне.

— Это смешно, Оливия, — жалобно произнес Энди, когда она по телефону сообщила ему о своих намерениях. — Ты не маленькая девочка и должна быть со мной в Виргинии.

— Зачем? — резко спросила она. — Чтобы репортеры торчали в моей спальне каждое утро? Моя семья прошла через чудовищное испытание, и я хочу быть с ними рядом.

Она не упрекала его за эту катастрофу. В том, что их настигла буря, Энди виноват не был, но его поведение после этого было непорядочно, недостойно и лишено сострадания к Дугласам. Оливия знала, что никогда его не простит. Он использовал их всех. Она нашла этому лишнее подтверждение, когда, выписываясь из Аддисон-Джилберт, обнаружила в фойе толпу журналистов. Энди был единственным человеком, который знал о том, что она покидает больницу, так что навести их мог только он. Пресса поджидала Оливию и в доме ее родителей, но на этот раз отец сказал свое веское слово.

— Нам нужно побыть одним, — произнес он, и люди не могли ослушаться своего губернатора. Дуглас дал несколько интервью, объясняя при этом, что ни его жена, ни его дочь, ни — в особенности — его сын не в состоянии сейчас развлекать представителей прессы. — Я уверен, что вы поймете меня, — вежливо добавил он, позируя для очередной фотографии. Он сказал также, что присутствие миссис Тэтчер в их доме объясняется только тем, что она хочет побыть со своей матерью и братом, который тоже решил пожить у них. Эдвин Дуглас пока не мог себя заставить вернуться в свой опустевший дом.

— Отдалились ли друг от друга супруги Тэтчеры после этой катастрофы? — выкрикнул один из журналистов, и Дуглас озадаченно промолчал. Это ему не приходило в голову, и ночью он спросил об этом жену, думая, что она может знать что-то, чего не знает он.

— Я не думаю, — нахмурилась Дженет Дуглас. — По крайней мере Оливия мне ничего не сказала.

Однако родители Оливии прекрасно знали, какая она скрытная. За последние несколько лет ей пришлось многое пережить, и она предпочитала держать свои эмоции при себе.

Энди же, услышав про этот вопрос журналиста, немедленно обрушился на Оливию с упреками, сказав ей, что если она не вернется домой в ближайшее время, поползут слухи.

— Я позвоню тебе, когда буду готова отправиться домой, — холодно откликнулась она.

— Когда это будет? — Через две недели он снова летел в Калифорнию и хотел, чтобы она его сопровождала.

На самом деле Оливия действительно собиралась вернуться домой через несколько дней, но давление со стороны Энди возымело обратный эффект, и она осталась у родителей. Когда прошла неделя пребывания Оливии в бостонском доме, ее мать наконец решилась задать вопрос.

— Что происходит? — осторожно спросила она, когда Оливия как-то раз зашла к ней в спальню. У

Дженет часто бывали мигрени, и сейчас она как раз восстанавливала силы после одной из них, держа на лбу лед. — Между Энди и тобой все в порядке?

— Это зависит от того, что ты вкладываешь в слово «порядок», — с некоторой прохладцей ответила Оливия. — Все как обычно. Он просто злится на меня из-за того, что я не позволяю прессе забить меня до смерти или не рассказываю им о катастрофе вновь и вновь. Вот увидишь — он с радостью устроил бы что-нибудь подобное.

— Политика творит с мужчинами странные вещи, — сказала ее мудрая мать.

Она лучше многих знала, что это такое и как дорого это стоит. Даже сделанная ей недавно мастэктомия стала достоянием общественности — телевидение посвятило этому целую передачу с демонстрацией диаграмм и интервью с ее врачом. Но она была женой губернатора и знала, чего ей ждать. Большую часть своей взрослой жизни она провела на публике, и это отняло у нее много сил. Теперь Дженет видела, как то же самое происходит с ее дочерью. За выигрыш или даже проигрыш в выборах цена была слишком высока.

Оливия смотрела на нее своими мягкими глазами и спрашивала себя, что скажет ее мать, если она поделится с ней правдой. Она много дней думала об этом и теперь знала, что ей делать.

— Я ухожу от него, мама. Я больше не могу. Я пыталась сделать это в июне, но ему так хотелось стать президентом, что я согласилась остаться с ним на время предвыборной кампании и еще на четыре года, если он выиграет. — Она с тоской посмотрела на мать. Цинизм их с Энди сделки казался еще чудовищнее, когда о ней рассказывали посторонним. — За мое согласие он платит мне миллион в год. И самое смешное то, что мне на это наплевать. Когда он мне это предложил, у меня возникло ощущение, что я выиграла эти деньги в лотерею. Я сделала это для него, потому что я привыкла его любить. Но теперь мне кажется, что я недостаточно сильно любила его еще в самом начале. И теперь я точно знаю, что больше я так жить не могу.

Она считала себя освобожденной от долгов, даже перед Энди.

— Не можешь — не надо, — прямо сказала Дженет Дуглас. — Тебе будет недостаточно и миллиона в год. Даже десяти. Никаких денег не хватит, чтобы заплатить за разрушенную жизнь. Уходи от него, Оливия, если ты на это способна. Я должна была сделать это много лет назад. А теперь слишком поздно. Я стала пить, я потеряла свое здоровье, свой брак, я не могла заниматься тем, чем мне хочется, это повлияло на всю нашу семью и сделало вашу с Эдвином жизнь очень тяжелой. Оливия, если ты не хочешь повторить мою судьбу, если ты отчаянно сопротивляешься этой вползшей в твою жизнь гадине по имени Политика, уходи, пока еще можно. Девочка моя, пожалуйста, — со слезами на глазах продолжала она, сжимая дочери руку, — я тебя умоляю! Не важно, что скажет твой отец. Я тебя заслоню. — Но вдруг ее взгляд стал серьезным. Одно дело — отказываться от политики, другое — от супружеской жизни, которую, возможно, стоит попытаться спасти. — А он? А Энди?

— Все кончилось уже очень давно, мама.

Дженет снова кивнула. Это не слишком ее удивило.

— Я так и думала, но не была уверена. — Она слегка улыбнулась. — Когда-нибудь твой отец решит, что я ему солгала. Он недавно спросил меня, все ли у вас в порядке, и я ответила, что да. Но уже тогда я не была уверена.

— Спасибо, мамочка, — сказала Оливия, обнимая ее. — Я тебя люблю!..

Она только что получила от своей матери величайший дар — ее благословение.

— Я тоже люблю тебя, детка, — ответила Дженет. — Делай то, что тебе хочется, и не думай о том, что скажет твой отец. Все будет в порядке. Он и Энди будут некоторое время возмущаться, но они пройдут через это. Энди молод. Он вполне может еще раз жениться и снова попробовать баллотироваться. Не позволяй ему уговорить тебя остаться, Оливия, если только ты сама этого не захочешь.

Ей действительно хотелось, чтобы ее дочь оказалась где-нибудь далеко и была свободна.

— Я не хочу возвращаться, мама. И никогда не вернусь. Я должна была уйти от него много лет назад... еще до рождения Алекса или сразу после его смерти.

— Ты молода и еще устроишь свою жизнь, — задумчиво произнесла ее мать. Для нее самой уже все было кончено. Она отказалась от своей жизни, карьеры, друзей и мечтаний. Каждую унцию своей энергии Дженет вкладывала в политический рост своего мужа, но для родной дочери ей хотелось чего-то совсем другого. — И чем ты будешь заниматься?

— Я хочу попробовать писать, — застенчиво улыбнулась Оливия, и ее мать рассмеялась:

— Все возвращается на круги своя, не так ли? Тогда пиши, и пусть тебя ничто не останавливает.

Они проговорили полдня и вместе приготовили ленч на кухне. Оливия даже подумывала о том, чтобы рассказать ей о Питере, но в конце концов не решилась на это. Она сказала, что скорее всего вернется во Францию, в рыбацкую деревушку, которую она так любила. Там будет хорошо писаться и хорошо прятаться. Однако тут Дженет насторожилась.

— Нельзя вечно скрываться.

— Почему? — с печальной улыбкой ответила Оливия. Ей ничего другого не оставалось, как исчезнуть, на этот раз — на самых законных основаниях. Но единственное, чего ей больше не хотелось, — это иметь дело с прессой или общественностью.

Этим вечером Эдвин обедал с ними. Он все еще не отошел от своей трагедии и выглядел подавленным, но Оливии тем не менее удалось пару раз рассмешить его. Связь с Вашингтоном он держал постоянно, по телефону и факсу. Оливии казалось невероятным, что в такой ситуации он может думать о делах, но даже после такой чудовищной утраты Эдвин оставался похожим на своего отца. Было совершенно очевидно, что он увлечен политикой не меньше, чем ее отец или муж. Поздно вечером Оливия позвонила Энди и сказала ему, что приняла важное решение.

— Я не вернусь, — просто сказала она.

— Опять... — раздраженно простонал он. — Ты забыла про наш контракт?

— Там ничего не сказано о том, что я должна оставаться с тобой и сопровождать тебя в Белый дом. Там говорится только, что, если я это сделаю, ты будешь платить мне миллион в год. Так что я просто сэкономлю тебе деньги.

— Ты не можешь так поступить! — озлобленно сказал Энди.

Оливия никогда еще не слышала, чтобы он говорил таким голосом. И все потому, что она мешала ему достичь своей единственной на данный момент цели.

— Могу. И поступлю. Завтра утром я улетаю в Европу.

На самом деле она собиралась уехать через несколько дней, но ей хотелось дать своему мужу понять, что все кончено. Тем не менее на следующий же день Энди примчался в Бостон, и, как и предсказывала ее мать, отец Оливии встал на сторону зятя. Но Оливии было уже тридцать четыре года, она знала, что делает, и была взрослой женщиной. И она понимала, что теперь ее ничто не сможет остановить.

— Ты хоть понимаешь, от чего ты отказываешься? — орал ее отец, в то время как Энди с благодарностью смотрел на него.

Оливии все это казалось похожим на линчевание.

— Да, — тихо ответила она, не отводя глаз, — я отказываюсь от лжи и разочарования. Я уже испытала достаточно и того и другого, и я думаю, что прекрасно без них обойдусь. Да, и еще я отказываюсь от того, чтобы меня использовали.

— Нечего строить из себя Бог знает что! — с отвращением сказал отец. Он был политиком старой школы, не таким высокомерным, как Энди. — Это великая жизнь и великие возможности, и ты это прекрасно знаешь.

— Для тебя, может быть, и да, — возразила Оливия, глядя на отца с нескрываемой печалью. — Для большинства же это жизнь, полная одиночества и разочарования или нарушенных обещаний. Я хочу, чтобы у меня была настоящая жизнь с настоящим мужчиной или в одиночестве — как сложится. На остальное мне наплевать. Я просто хочу как можно дальше отбросить от себя политику и никогда больше не слышать этого слова.

Оливия украдкой взглянула на мать и увидела, что та улыбается.

— Дура ты! — взъярился отец.

Энди, покидая их дом, был полон яда и пообещал ей, что она еще поплатится за то, что она с ним сделала. И он не солгал. Через три дня, когда она улетала во Францию, в бостонских газетах появилась статья, которую мог оплатить только он. В ней говорилось, что после трагического и неожиданного несчастного случая, в котором погибли трое членов ее семьи, Оливия пережила несколько тяжелых стрессов и была снова помещена в больницу с нервным расстройством. В статье также говорилось, что ее муж беспокоится о ней, и звучал осторожный намек на то, что их отношения стали иными из-за ее психического состояния.

Целью материала было вызвать сочувствие к Энди из-за того, что на его плечи легла такая обуза. Он виртуозно заметал следы. Если пустить слух, что она сошла с ума, то тогда ему не составит труда избавиться от нее. Раунд первый — Энди... или второй? Или десятый? Прогнал ли он ее, или она просто сбежала, чтобы спасти свою жизнь, пока ее муж на минуту отвернулся? Теперь она уже ни в чем не была уверена.

Питер тоже читал эту статью и заподозрил, что ее вдохновителем является Энди. Это было слишком уж непохоже на Оливию, хотя он знал ее так недолго. На этот раз проверить ничего было нельзя, поскольку не сообщалось, в какой больнице она была. От невозможности выяснить правду он лишился сна.

Днем в четверг, через несколько дней после того, как Оливия сообщила Энди о своем уходе, мать отвезла ее в аэропорт. Был уже конец августа, Питер с семьей все еще были в загородном доме. Дженет Дуглас посадила свою дочь в самолет и не уходила из аэропорта, пока тот не взлетел. Ей хотелось убедиться в том, что Оливия в безопасности и действительно улетела. Она знала, что ее дочь избежала участи, худшей, чем смерть, и с облегчением смотрела, как лайнер мягко разворачивается в воздухе, беря курс на Париж.

— Храни тебя Бог, Оливия, — прошептала она, надеясь, что дочь вернется в Штаты очень не скоро.

Здесь ее ждали только боль, ужасные воспоминания и испорченные, эгоистичные мужчины. Дженет была счастлива, что Оливия вернулась во Францию. Когда самолет пропал из виду, Дженет сделала знак своим телохранителям и со вздохом покинула аэропорт. Ее дочь была в безопасности.

Глава 10

Август кончался, и сведения о состоянии исследований по «Викотеку» продолжали поступать каждый день. Отношения Питера с тестем все сильнее портились. К Дню труда напряжение между ними стало таким заметным, что даже мальчики почувствовали его.

— Что происходит между папой и дедушкой? — спросил Пол в субботу утром, заставив Кейт нахмуриться.

— Твой отец проявляет характер, — сдержанно ответила она, но ее сын мог заметить, что она считала Питера виноватым в этом противостоянии.

— Они что, поссорились? — Он уже был достаточно взрослым, чтобы разбираться в таких вещах, а его мать всегда была с ним достаточно искренней, хотя к ссорам их семейство привычно не было. Все равно Пол уже успел понять, что его отец и дед не могут о чем-то договориться.

— Они разрабатывают новый препарат, — объяснила Кейт, хотя на самом деле все было гораздо сложнее, и она это понимала. Она постоянно просила Питера бережнее обращаться с ее отцом, который все лето был занят этой проблемой, что было не слишком-то полезно в его возрасте. Правда, Кейт не могла не признать, что Фрэнк выглядел лучше, чем когда-либо. В свои семьдесят он все еще каждый день по часу играл в теннис и каждое утро проплывал целую милю.

— А-а... — промычал Пол, вполне удовлетворенный объяснением. — Тогда это не слишком серьезно.

Так проблема «Викотека», стоившая много миллионов долларов, была отметена с шестнадцатилетней беспечностью.

Вечером этого дня должна была состояться большая вечеринка в честь конца лета. На ней соберутся их друзья, а через два дня все уже начнут разъезжаться. Патрик и Пол возвращались в свои школы,

Майк отправлялся в Принстон. Старшие переезжали в Гринвич в понедельник.

У Кейт была масса дел, потому что оба дома — их и ее отца — нужно было прибрать перед тем, как закрывать. Она как раз убирала вещи, когда Питер забрел в комнату и уставился на нее.

Это лето выбило почву у него из-под ног. Двойной удар от неудачи с «Викотеком» и необходимости отказаться от Оливии почти в тот самый момент, когда он понял, как она ему нужна, оказался ему не по силам, и отдых в августе ничего не изменил. А если добавить к этому постоянное давление со стороны Фрэнка и не менее постоянное участие Кейт в том, что ее совершенно не касалось... Она слишком настойчиво следила за тем, что происходило между Питером и ее отцом, слишком озабочена была тем, чтобы защитить Фрэнка. Кроме того, то, что произошло во Франции, в корне изменило мир Питера, хотя он этого и не хотел. После Парижа у него было твердое намерение вернуться в свою жизнь и продолжать ее в том же духе, но этого просто не могло случиться. Это было все равно что открыть окно, увидеть прекрасный пейзаж, а затем снова захлопнуть его и вернуться в душный, темный дом.

Он продолжал стоять на том же месте, смотреть на закрытые ставни и вспоминать то, что было за ними. То, что он пережил с Оливией, было незабываемо, и вопреки его воле жизнь для него изменилась навсегда. Питер не собирался ничего менять и никуда уходить. Он не пытался связаться с ней, если не считать тех звонков в больницу после катастрофы. Случившееся с ней несчастье привело его в ужас; то, что она чуть было не погибла, казалось ему ужасным возмездием. Но почему она, а не он? За что была наказана Оливия?

— Прости, что лето вышло каким-то дурацким, — грустно сказал Питер, садясь на кровать.

Кейт бросила в коробку стопку свитеров вместе с шариками от моли.

— Никакое оно не дурацкое, — добродушно отозвалась она, глядя на него через плечо со своей стремянки.

— Для меня — дурацкое, — честно сказал он. — Мне слишком о многом приходилось думать, — добавил он, пытаясь худо-бедно объяснить ей происходящее с ним.

Кейт снова улыбнулась ему, но потом ее взгляд стал серьезным — она думала о своем отце.

— И для папы. Ему тоже было трудно.

Кейт думала о «Викотеке», а Питер — о потрясающей женщине, которую он встретил в Париже. Оливия сделала возвращение домой к Кэти невыносимым. Его жена была такой независимой и невозмутимой, ей так хотелось самостоятельности. Казалось, у них нет больше никаких совместных занятий за исключением встреч с друзьями и игры в теннис с Фрэнком. Но Питер нуждался в чем-то большем. В его сорок четыре года ему вдруг захотелось романтики, близости со своей женой, уюта, дружбы, неожиданности. Вжаться в нее, ощутить прикосновение ее плоти...

Но они были знакомы уже двадцать четыре года, и никакой романтики между ними не осталось. У них были очень уравновешенные отношения, основанные на взаимном уважении, много общих интересов, но у Питера не закипала кровь, когда Кэти ложилась рядом с ним в постель, а когда в нем просыпалось желание, ей всегда нужно было кому-нибудь позвонить, с кем-нибудь встретиться или пообщаться с отцом. Казалось, они упускают все возможности заняться любовью, побыть наедине, даже посмеяться вместе, просто посидеть и поговорить, и Питеру было без этого одиноко.

Оливия дала ему именно то, чего ему не хватало. По правде говоря, его отношения с Оливией ничем не напоминали его семейную жизнь. Когда он был с ней, у него постоянно захватывало дух. Жизнь с Кэти всегда была похожа на выпускной вечер в провинциальной школе. А его роман с Оливией напоминал бал у сказочной принцессы. Это было глупое сравнение, и Питер невольно рассмеялся, заставив Кэти в изумлении воззриться на него.

— Чему ты улыбаешься? Я говорю о том, каким тяжелым это лето оказалось для моего отца.

Погрузившись в сладостные воспоминания, Питер не слышал ее последних слов.

— Плата за такой бизнес, как у нас, неизбежна, — невозмутимо ответил Питер. — Это — тяжелое бремя и огромная ответственность. Кто тебе сказал, что это должно быть легко? — Он уже устал постоянно говорить об ее отце. — Но раньше я никогда об этом не задумывался. Слушай, давай куда-нибудь съездим? Нам нужно отдохнуть. — Мартас-Виньярд в этом году оказался не слишком подходящим местом для отдыха. — Что ты скажешь насчет Италии или другого места? Карибы? Гавайи?

Это позволит несколько изменить обстановку, и — кто знает — может быть, даже вернуть прежнюю романтику, вдохнуть жизнь в их брак.

— Сейчас? Зачем? На дворе сентябрь. У меня тысяча дел, и у тебя тоже. Я должна подготовить мальчиков к школе, а в следующую субботу мы повезем Майка в Принстон.

Кейт смотрела на него так, будто он сошел с ума, но Питер на этот раз решил настоять на своем. После стольких лет совместной жизни он должен был по крайней мере попытаться снова склеить их начавшую разваливаться семью.

— Тогда после того, как дети разъедутся по своим школам. Я не говорю — немедленно, но может быть, в ближайшие недели? Как ты считаешь?

Питер смотрел на жену с надеждой. Она спустилась со стремянки, и Питер поймал себя на мысли, что хочет испытывать к ней нечто большее, чем испытывает сейчас. Но как это ни ужасно, он ничего не чувствовал. Может быть, путешествие на Карибы что-нибудь изменит?..

— В сентябре ты должен ехать на слушания ФДА. Разве тебе не нужно к ним как следует подготовиться?

Питер еще не говорил ей, что независимо от мнения ее отца он не собирался ехать туда сам и позволять это Фрэнку. Нельзя было успокаивать себя тем, что все проблемы будут решены до того, как «Викотек» будет выброшен на рынок.

— Это моя забота, — сдержанно ответил он, — просто скажи мне, когда ты более или менее свободна, и я все организую.

Единственное, что предстояло ему в сентябре, — это слушания в конгрессе по вопросу цен, на которые он в конце концов согласился поехать. Но его появление в Вашингтоне при желании можно было отложить, и Питер это знал. Это был скорее вопрос вежливости и престижа, чем жизни и смерти. Отношения с Кэти были для него куда более важной проблемой.

— У меня масса встреч в этом месяце, — отмахнулась Кейт, открывая еще один ящик с вещами.

Некоторое время Питер тупо наблюдал за тем, как она работает, а потом до него дошло, что она, собственно, говорит.

— То есть ты предпочла бы никуда не уезжать?

Если дело было в этом, то ему хотелось бы об этом знать. Может быть, ее тоже что-нибудь угнетало? Внезапная мысль пронзила его, как молния. Может быть, она ему изменила? И у нее есть любовник? Она что, избегает его? В конце концов, и с ней это вполне могло произойти, хотя Питеру никогда не приходило в голову ничего подобного. Он почувствовал себя идиотом. Его жена была привлекательной и достаточно молодой женщиной, так что не приходилось сомневаться в том, что она может нравиться. Правда, Питер понятия не имел, как узнать, произошло ли это на самом деле. Она всегда была такой невозмутимой и немного чопорной, что спросить ее в лоб, есть ли у нее любовник, было невозможно. Вместо этого, сузив глаза, Питер задал ей другой вопрос — самым резким голосом, на который был способен:

— Что, существует какая-то причина, по которой ты не хочешь отдыхать со мной вдвоем?

Кейт, рассовывавшая шарики от моли в очередные коробки, наконец оторвалась от своего занятия и ответила так, что Питер немедленно почувствовал раздражение.

— Мне просто кажется, что сейчас это будет несправедливо по отношению к моему отцу. Он так расстроен из-за «Викотека». На нем лежит такая ответственность. Мне кажется, что мы с тобой поведем себя как эгоисты, если будем валяться где-нибудь на пляже, в то время как отец будет сидеть в своем кабинете и волноваться.

Питеру с большим трудом удалось скрыть свою досаду. Его уже тошнило от этого постоянного беспокойства о Фрэнке, продолжавшегося все восемнадцать лет.

— Может быть, нам и стоит сейчас побыть эгоистами, — настаивал Питер. — Неужели тебя не беспокоит то, что мы женаты уже восемнадцать лет и при этом не обращаем на самих себя, на собственные нужды и собственный брак достаточно внимания?

Он пытался довести свою мысль до ее сознания, не зарождая в ней беспокойства по причине своей настойчивости.

— Что ты хочешь мне сказать? Что я тебе надоела и ты должен увезти меня на пляж, чтобы подсыпать в нашу семейную жизнь немного перца? — Кейт повернулась и посмотрела ему прямо в глаза, и Питер не знал, что ей сказать. Она почти угадала.

— Нет, мне просто кажется, что нам нужно сбежать на некоторое время подальше от твоего отца, от детей, от нашего автоответчика, от твоих комитетов и... от «Викотека». Даже здесь нас постоянно преследует факс, и у меня такое ощущение, что я сижу у себя в офисе. Мне просто хочется уехать с тобой куда-нибудь, где никто бы нас не отвлекал и где мы бы могли поговорить, напомнить себе о том, что сводило нас с ума во время нашей первой встречи.

Кэти улыбнулась — она начала понимать.

— По-моему, у тебя кризис. А на самом деле ты скорее всего просто нервничаешь по поводу ФДА и хочешь куда-нибудь сбежать, использовав в этих целях меня. Возьмите себя в руки, молодой человек. Когда-нибудь все это кончится и мы будем вами гордиться. — Кэти произнесла эти слова с улыбкой, и Питер почувствовал, как его сердце уходит в пятки. Она ничего не понимала — ни того, что ему чего-то не хватает в их отношениях, ни того, что он не собирался ни на какие слушания ФДА. Единственная обязанность, от которой он действительно не мог уклониться, — это выступление перед конгрессом.

— Это не имеет никакого отношения к ФДА, — твердо сказал он, пытаясь сохранять спокойствие. У него не было никакого желания снова обсуждать с ней слушания. Разговоров с Фрэнком ему вполне хватало. — Я говорю о нас, Кейт. А не о ФДА.

В этот момент их разговор прервал Майк — ему понадобились ключи от машины. А Патрик, к которому пришли друзья, сунулся в комнату и спросил, есть ли еще замороженная пицца, потому что они умирают с голода.

— Я как раз иду в магазин! — крикнула Кэти, и возможность была утеряна. Повернувшись к мужу, она посмотрела на него через плечо, перед тем как выйти из спальни: — Не волнуйся, все будет хорошо.

Итак, она ушла, а Питер долго сидел на кровати — их кровати, — чувствуя себя опустошенным. По крайней мере он сделал попытку. Это было слабое утешение, потому что она не увенчалась успехом. Кэти даже не могла понять, о чем он говорил. Единственно, что волновало его жену, — это ее отец и эти дурацкие слушания.

Во время вечеринки Фрэнк снова напомнил ему о ФДА. Это было похоже на заезженную пластинку, и Питер поспешил сменить тему. Фрэнк настаивал, чтобы он был «хорошим мальчиком» и «пошел на компромисс». Он был уверен в том, что их ученые устранят все недостатки «Викотека» задолго до того, как он попадет на рынок, а если они сейчас откажутся от участия в слушаниях, репутация «Уилсон—Донован» пострадает и у них будет выбита почва из-под ног. По мнению Фрэнка, если они вслух заявят о том, что разработка их препарата столкнулась с серьезными проблемами, это будет все равно что махать красным флагом перед быком.

— Нам могут понадобиться годы, чтобы восстановить свое реноме. Ты прекрасно знаешь, что может последовать, если только пойдут такие разговоры. Это может запятнать «Викотек» навсегда.

— Мы должны довести все до совершенства, Фрэнк, — ответил Питер, держа бокал в руке. Эту песню он уже знал наизусть, они с Фрэнком словно приклеились к своим диаметрально противоположным мнениям.

Питер постарался как можно скорее исчезнуть из поля зрения своего тестя и через минуту увидел, как Фрэнк разговаривает с Кэти. Нетрудно было догадаться, о чем они говорили, и он снова почувствовал приступ тоски и раздражения. Было ясно, что предметом их разговора не было их предполагаемое путешествие. Теперь Питер мог уже не сомневаться в том, что его маленький план никогда не осуществится. Больше он с ней на эту тему не говорил. В сле-

дующие два дня они были заняты только своим пере-
ездом в Гринвич.

На пути домой мальчики оживленно обсуждали
грядущее возвращение в школу. Пол не мог дождаться
встречи с друзьями в Эндовере, Патрик этой осенью
собирался в Чоат и Гротон. А Майк мог говорить
только о своем Принстоне. Там учился его дед, и
всю свою жизнь он только и слышал, что об обеден-
ных клубах и дружбе на всю жизнь.

— Жаль, что ты там не учился, папа. По-моему,
это очень здорово!

Конечно, разве могло вечернее обучение в Чикаг-
ском университете сравниться с Принстоном?

— Я знаю, что это здорово, сынок, но если бы я
там учился, я никогда не познакомился бы с твоей
матерью, — ответил Питер, вспоминая их знаком-
ство в Мичиганском университете.

— В том-то и дело, — улыбнулся Майк. Он
собирался вступить в обеденный клуб своего дедуш-
ки, как только ему будет это позволено. Придется
ждать целый год, но за это время он хотел присоеди-
ниться к какому-нибудь братству. У него все уже
было запланировано и расписано. И всю дорогу до
Нью-Йорка он говорил только об этом, что застав-

ляло Питера чувствовать себя несколько обособлен-
ным от них и немного одиноким. Это было странно — ведь в течение восемнадцати лет он был частью
своей семьи, и все же иногда он ощущал себя аутсай-
дером даже со своими собственными детьми.

Они ехали по шоссе на юг, с ним никто не разговаривал, и его мысли сами собой переключились на
Оливию. Он вспомнил их разговор на Монмартре в
самую первую ночь и прогулку по пляжу в Ла-Фавьере. Тогда им так много надо было сказать друг другу, о стольком подумать! Потерявшись в этих сладких
воспоминаниях, он чуть было не врезался в другую
машину и резко повернул руль, заставив своих пассажиров вскрикнуть от ужаса.

— Господи, да что ты делаешь! — испуганно
воскликнул Майк.

— Простите! — сказал Питер и стал более внимательно смотреть на дорогу. Оливия постоянно при-
сутствовала в его мыслях. Она дала ему то, что не
мог дать никто другой. Питер вспомнил, как она говорила ему, что он добился всего сам, а не с помощью Донованов, но теперь в правоту ее слов было
трудно поверить. Сейчас он не сомневался в том, что

именно Кейт и ее отец позволили его жизни сложиться так, как она сложилась.

Снова и снова мысли его возвращались к Оливии. Он спрашивал себя, где она сейчас, правда ли то, что она опять в больнице. Вся эта история казалась ему фальшивой. Так обычно объясняют разводы, измены или косметические операции. В случае Оливии возможна была только одна причина. Неужели она, несмотря на выдвижение Энди кандидатом в президенты, все-таки оставила его? Ничего удивительного, что ее после этого объявили сумасшедшей, — это было вполне похоже на сенатора Тэтчера.

И два дня спустя Питер понял, что он был прав. К нему в офис пришла открытка от Оливии — он увидел ее на столе, когда вернулся после ленча. На открытке была изображена рыбачья лодка, а на марке написано «Ла-Фавьер».

Ее убористый, аккуратный почерк нес на себе отпечаток какой-то тайны. «Я вернулась сюда. Пишу. Наконец-то. Я отказалась от своей борьбы с ним. Я больше не могу. Надеюсь, у тебя все в порядке. Не забывай о том, какой ты смелый. Это твоя заслуга. Ты подтолкнул меня к тому, чтобы сделать это. Без тебя у меня никогда не хватило бы смелости убежать.

Но теперь я счастлива. Береги себя. Я буду любить тебя всегда. О.». Питер несколько раз перечитал открытку, пытаясь понять, что скрыто между строк. Он до сих пор помнил, каким хриплым голосом она призналась ему в любви. И он знал, что она любит его до сих пор, так же, как и он ее.

Питер задумался. Оливия оказалась гораздо сильнее, чем думала сама. Для того чтобы уйти, требовалась большая смелость. Питер восхищался ею и радовался тому, что ей удалось сбежать от той жизни, которую она вела. Он надеялся, что Оливии будет хорошо и спокойно во Франции. В ее писательском таланте он не сомневался. Оливия так хотела быть такой, какой она была, и говорить то, что она думает. От нее ничего нельзя было скрыть, ей нельзя было солгать. Это была женщина, которая жила по истине, чего бы ей это ни стоило. Она тоже допускала в жизни компромиссы и признавала это. Но теперь места компромиссам в ее жизни не было. Теперь Оливия была свободна, и Питер завидовал ей. Он убрал открытку, надеясь, что ее никто не видел.

На следующий день пришли результаты исследований по «Викотеку». Они оказались лучше, чем предполагал Питер, но о том, чтобы просить о

преждевременном разрешении на выпуск, не могло
быть и речи. К этому времени он уже начал разбираться во всех этих научных терминах не хуже за-
правского профессионала — так же как и отец Кэти.
Договорившись заранее, они с Фрэнком встретились
в комнате для заседаний в два часа дня в пятницу.
Фрэнк ждал его с суровым выражением лица, заранее отрицая все то, что мог ему сказать Питер. Они
не стали терять времени на пустую болтовню, если не
считать разговора о Майке. Завтра Питер и Кэти
должны были отвезти его в Принстон, и Фрэнк этим
очень гордился. Но, едва затронув эту тему, он вернулся к делу.

— Мы оба знаем, почему мы здесь, не так ли? —
спросил он, внимательно глядя Питеру прямо в глаза. — И я знаю, что ты со мной не согласен, —
осторожно добавил он. Все его тело, казалось, было
скрючено от напряжения, и он был похож на кобру,
готовую к броску. Питер чувствовал себя его добы-
чей. Он приготовился защищать себя и авторитет компании, но Фрэнк опередил его: — Я думаю, что
тебе нужно просто довериться моему решению. У меня
нечто подобное уже случалось. Я в этом бизнесе почти пятьдесят лет, и ты можешь мне верить, когда я

говорю, что знаю, что́ мне делать. Мы должны сейчас выступить на слушаниях. К тому времени когда препарат официально появится на рынке, мы будем готовы. Я бы не стал рисковать, если бы не знал наверняка, что мы все успеем.

— А если вы ошибаетесь? И мы кого-нибудь убьем? Пусть это будет один человек... мужчина, женщина или ребенок... Что тогда? Что мы скажем людям? Как мы сможем после этого спокойно спать? Сейчас ни в коем случае нельзя просить «зеленую улицу». — В Питере говорила совесть, но Фрэнк считал, что это голос трусости, как у «того идиота в Париже». — Сушар знал, что говорил, Фрэнк. Поэтому-то мы его и наняли в свое время — чтобы он нам не лгал. Даже если эта правда нас не устраивает, мы должны ее выслушать. Я знаю, что он больше у нас не работает, но мы открыли ящик Пандоры, который не должны игнорировать. И вы это тоже прекрасно знаете.

— Если бы я это «игнорировал», Питер, я вряд ли бы выделил десять миллионов долларов на два месяца дополнительных исследований. И в итоге мы ничего не добились. Признай правду: он вынудил нас пойти на никому не нужный шаг... хуже того, это просто как дурная шутка. Ничего страшного в «Викотеке» нет. Мы говорим об элементе, который «может» подействовать определенным образом, «способен» вызвать серьезные последствия в одном из миллиона случаев, да и то если его неправильно употребят. А теперь, ради всего святого, скажи мне: не кажется ли тебе это глупым? Господи, да если ты выпьешь две таблетки аспирина с каким-нибудь спиртным, это может на тебя подействовать не самым лучшим образом. Разве это проблема?

— Аспирин и спиртное не могут убить. А «Викотек» может, если мы не будем осторожны.

— Но ведь мы осторожны. В том-то все и дело. У каждого лекарства есть свои побочные эффекты, задняя сторона, изнанка. Если бы мы не научились жить с осознанием этого, мы бы закрылись и принялись продавать сладкую вату на городском рынке. Ради Бога, Питер, перестань действовать мне на нервы, будь милосердным. Я хочу, чтобы ты понял, что я все равно возьму над тобой верх в этой ситуации. Если будет нужно, я сам поеду на ФДА, но я хочу, чтобы ты понял почему. Я хочу, чтобы ты знал, что я всей душой верю в безопасность «Викотека», я готов жизнью в этом поклясться! — Начав свою тираду нормальным голосом, Фрэнк закончил ее криком. Он весь покраснел, был страшно возбужден, голос его становился все громче и громче, и Питер вдруг заметил, что Фрэнк весь дрожит. Через мгновение он вдруг осел, стал серым и покрылся испариной. Приостановив свой монолог, он глотнул немного воды.

— Что с вами? — тихо спросил Питер. — Этот вопрос не стоит того, чтобы так нервничать. Дело именно в этом. Мы должны провести клинические испытания и относиться к этому спокойно. Это всего лишь наш продукт, Фрэнк, не более того. Я больше, чем кто-либо другой, хочу, чтобы этот проект состоялся, но это может произойти не так быстро, как нам хотелось бы. Никто так не мечтает о дне, когда он появится на рынке, как я. Но не «любой ценой». До тех пор пока мы не будем полностью уверены во всех его составляющих, этого делать нельзя. Где-то внутри «Викотека» скрыта червоточина. Мы знаем об этом. Мы чувствуем ее признаки. Пока мы не найдем ее, мы не должны позволять пользоваться препаратом ни одному человеку. Все очень просто. — Питер говорил убедительно и ясно, и чем больше росло возбуждение Фрэнка, тем спокойнее становился его зять.

— Нет, Питер, нет... все далеко не так просто! —
закричал он, приведенный в еще большую ярость ужа-
сающим спокойствием Питера. — Сорок семь миллионов за четыре года — это по крайней мере не
просто! Как ты считаешь, сколько еще денег мы должны в это вложить? Сколько уже вложено?

Фрэнк вел себя отвратительно, но Питер не клю-
нул на эту приманку.

— Столько, сколько нужно, чтобы это было хорошо. Или же надо отказываться от продукта. У нас
всегда есть такая возможность.

— Ничего подобного! — вскричал Фрэнк, вско-
чив на ноги. — Неужели ты считаешь, что я способен выкинуть почти пятьдесят миллионов долларов в
окно? Ты что, с ума сошел? Чьи это деньги, по-
твоему? Твои, может быть? Нет, милый мой, это мои
деньги, деньги компании, деньги Кэти, и будь я про-
клят, если ты посмеешь мне возразить. Ты бы тут не
сидел, если бы в один прекрасный день я не купил
тебя — для фирмы и для своей дочери!

Слова Фрэнка словно обухом ударили Питера. У
него перехватило дыхание, и внезапно он вспомнил
сказанное его отцом восемнадцать лет назад, перед
их с Кэти свадьбой: «Ты всегда будешь всего лишь

наемным работником, сынок... Не делай этого». Но он ослушался отца и сегодня пожинал плоды. Именно так его, оказывается, и воспринимали с самого начала.

К этому времени Питер тоже встал, и если бы Фрэнк Донован был на несколько лет моложе и в менее возбужденном состоянии, Питер бы его ударил.

— Я не намерен это слушать, — процедил он, чувствуя охватившую его дрожь. Он с трудом удерживался от того, чтобы не поднять руку на старика, но Фрэнк, оказывается, не собирался отпускать своего зятя и ухватил его за рукав.

— Нет, ты выслушаешь все, что я тебе скажу, и будешь делать то, что я хочу. И нечего смотреть на меня так, как будто ты святой, сукин ты сын! Она могла найти себе жениха получше, но она хотела тебя, и тогда я сделал из тебя то, чем ты являешься сейчас, чтобы ей не приходилось стесняться тебя. Но ты ничто, слышишь меня, ничто! Это ты начал весь этот проклятый проект, ты высосал из фирмы миллионы, ты делал обещания и строил воздушные замки, а когда возникла маленькая проблема, которую якобы углядел какой-то французский кретин, ты забился в угол и начал визжать как поросенок, что не пойдешь на

ФДА. Но знай, что я скорей убью тебя, чем позволю тебе сделать то, что ты хочешь!

Сказав это, Фрэнк схватился за грудь и начал хрипло кашлять. Его лицо стало багровым, он задыхался. Обеими руками он ухватился за Питера и начал падать, увлекая за собой и зятя. Сначала Питер растерялся, не веря своим глазам, но потом быстро пришел в себя. Осторожно усадив его на пол, он бросился к телефону.

Фрэнка рвало, он кашлял. Положив трубку, Питер встал рядом с ним на колени, развернул и попытался поддержать его, чтобы он не дышал испарениями собственной рвоты. Дыхание старика было затруднено, он был на грани потери сознания, но Питер все еще кипел от того, что услышал.

Он не думал, что старый Донован способен на такую злобу, которая может убить его самого. Что скажет Кэти, если он умрет? Этот вопрос не выходил у Питера из головы, пока он держал своего скрюченного судорогой тестя. Она будет обвинять в этом Питера, она будет считать, что это все из-за его жесткой позиции. Но она никогда не узнает о том, что только что услышал Питер, о тех непростительных вещах, которые Фрэнк бросил ему в лицо. И когда «скорая помощь» прибыла, он понял: что бы ни произошло потом, он все равно никогда не сможет простить старика и забыть услышанное. Это были не просто слова, сказанные в минуту ярости, — это были острые, чудовищные орудия, которые он в течение многих лет скрывал от него, чтобы в один прекрасный день использовать. Они были словно ядовитые стрелы, пронзившие его насквозь, и Питер знал, что никогда этого ему не простит.

Врачи принялись за дело, Питер встал и отошел в сторону. Его одежда была испачкана. Секретарша Фрэнка, рыдая, стояла в дверях. В коридоре уже собрались люди. В этот момент один из медиков взглянул на Питера и покачал головой. Его тесть только что перестал дышать. Из чемоданчика возник какой-то блестящий прибор, Фрэнку расстегнули рубашку, и в этот момент в кабинете появились пожарные*.

Все это напоминало какое-то сборище. Питер молча наблюдал за работой склонившихся над бездыханным телом Фрэнка медиков и думал о том, что́ он скажет Кэти. Он уже начал думать, что никакой надежды

---

* В США «скорая помощь», полиция и пожарная команда вызываются по одному телефонному номеру и часто приезжают одновременно. — *Примеч. пер.*

нет, когда один из врачей велел пожарным готовить носилки. Сердце Фрэнка снова забилось, хоть и нерегулярно, дыхание восстановилось. Фрэнк посмотрел на Питера замутненным взглядом через кислородную маску, и Питер коснулся его руки, когда старика проносили мимо. Питер велел секретарше позвонить его лечащему врачу. Фрэнка направили в главную городскую больницу, где его уже ожидала команда кардиологов. То, что он не умер, было настоящим чудом.

— Я приеду к нему, — сказал Питер врачам и ринулся в туалет, чтобы сообразить, что ему делать со своими штанами и пиджаком. В тумбочке у него лежала чистая рубашка, но этого явно было недостаточно. Следы рвоты остались даже на ботинках. Питер все еще был под впечатлением услышанного от своего тестя. Та энергия зла, которую тот так щедро выплюнул в Питера, чуть было не убила его самого.

Через пять минут Питер выбежал из туалета в чистой рубашке, худо-бедно вычищенных брюках, свитере и чистых ботинках. Он прошел в свой кабинет, чтобы позвонить Кэти. К счастью, она была дома, хотя и собиралась вот-вот пойти по каким-то делам. Услышав в трубке ее голос, Питер поперхнулся. Он не знал, как ей об этом сказать.

— Кэти... я... я рад, что ты оказалась дома.

Что такое случилось? Он так странно вел себя с ней в последнее время, стал таким прилипчивым и унылым. Он постоянно смотрел телевизор, в основном Си-эн-эн. И потом это странное желание поехать с ней в отпуск...

— Что такое? — Кейт взглянула на часы. У нее была еще масса дел, связанных с завтрашним отъездом Майка в Принстон. Нужно было купить плед и новое постельное белье. Но голос мужа, необычно сдавленный, заставил ее насторожиться.

— Да... Кэти, сейчас уже все в порядке, но твоему отцу стало плохо. — Кэти чуть было не задохнулась, когда это услышала. — У него был сердечный приступ на работе. — Питер не стал говорить ей, что он чуть не умер и что на несколько секунд его сердце остановилось. Врачи скажут ей об этом позже. — Его увезли в главную больницу, и я тоже туда сейчас еду. И ты приезжай. Он в не очень хорошем состоянии.

— Как он себя чувствует? — Кэти казалось, что пол уходит у нее из-под ног. Так оно, наверное, и было, и в какой-то момент Питер не смог удержаться и спросил себя, как бы она отреагировала, если бы речь шла о нем, а не об ее отце. Или Фрэнк прав? И он всего лишь игрушка, которая была куплена за большие деньги?

— Я думаю, что все будет в порядке. В какой-то момент было плохо, но эти ребята из «скорой» оказались на высоте. Здесь были бригада реаниматоров и пожарные. — В это время у дверей офиса уже стоял полицейский, успокаивавший присутствующих и записывавший показания секретарши Фрэнка, хотя она и не знала точно, что произошло. На очереди был Питер, который, слушая свою жену, понял, что она плачет. — Ничего страшного, дорогая. Он поправится. Я просто думаю, что тебе нужно приехать к нему. — Вдруг он спросил себя, сможет ли она в таком состоянии вести машину. Автокатастрофа на шоссе от Гринвича до Нью-Йорка была совершенно ни к чему. — А где Майк? — Всхлипнув, Кэти ответила, что его нет дома. Жаль, а то он мог бы отвезти мать. У Пола были только ученические права, и он не владел машиной достаточно хорошо, чтобы самостоятельно доехать до города. — Может быть, ты попросишь кого-нибудь из соседей?

— Я поеду сама, — сквозь слезы проговорила она. — Что такое могло произойти? Вчера он был в полном порядке. У него всегда было такое хорошее здоровье.

— Ему семьдесят лет, Кейт, и у него огромные нагрузки.

Кейт перестала плакать, и голос ее стал суровым.

— Вы опять поссорились из-за этих слушаний? — Она знала, что у них была запланирована встреча по этому поводу.

— Да, мы обсуждали это. — Но не только это. Фрэнк сказал ему чудовищные вещи, но Питеру не хотелось передавать их Кэти. Слова ее отца были слишком болезненными для него, Питера, чтобы их повторять, в особенности в свете того, что произошло потом. Если Фрэнк умрет, его дочь не должна знать, что́ произошло между тестем и зятем.

— Наверное, это было не просто обсуждение, если у него случился сердечный приступ, — обвиняющим тоном сказала она, но Питер не хотел терять время на дурацкие телефонные разговоры.

— Я думаю, ты должна приехать. Поговорим обо всем позже. Он в кардиологической реанимации, — отрывисто сказал он, и Кэти снова начала плакать. Питер и подумать боялся о том, что она сядет за руль. — Я еду туда прямо сейчас, чтобы узнать, что происходит. Если что-нибудь изменится, я позвоню тебе в машину. Не забудь взять телефон.

— Конечно, — сказала она язвительно, вытирая нос. — А ты не забудь, что я тебе никогда не прощу, если ты сказал хоть слово, которое могло его расстроить!..

Когда Питер через двадцать минут прибыл в больницу, прежде поговорив с полицейскими, подписав несколько форм, оставленных врачами, и попав в бесконечную пробку на Ист-Ривер, Фрэнк уже ничего не воспринимал. Ему дали снотворное, и он уснул. За больным велся неусыпный надзор, лицо Фрэнка из багрового стало серым. Растрепанные волосы, следы рвоты на подбородке, голая грудь, покрытая проводками и датчиками... К телу Фрэнка было подсоединено несколько аппаратов, и во всем этом окружении он выглядел очень больным и гораздо более старым, чем час назад. Врач честно сказал Питеру, что Фрэнк еще не выбрался из этой переделки. Он перенес серьезный инфаркт, и не было никакой гарантии, что его сердце не выйдет из строя вновь. Все должно было решиться в ближайшие сутки. Глядя на него, было нетрудно в это поверить — гораздо легче, чем в то, что когда он два часа назад вошел в кабинет, то выглядел моложавым и полным сил.

Питер ждал Кэти в вестибюле внизу, чтобы предупредить ее о состоянии отца, пока она не поднялась к нему. На ней были джинсы и хлопчатобумажный джемпер; она не успела причесаться, а в глазах ее, когда она вместе с мужем поднималась в лифте, был ужас.

— Как он? — спросила она уже в пятый раз после своего приезда. Она была в таком ужасном состоянии, что еле соображала.

— Увидишь. Успокойся. Я думаю, что он выглядит гораздо хуже, чем чувствует себя.

Аппаратура, которая была подключена к его органам, действительно могла устрашить кого угодно, и Фрэнк был похож скорее на безжизненное тело, чем на пациента. Кэти никак не была подготовлена к этому зрелищу. Она начала всхлипывать, как только его увидела, и изо всех сил сдерживала себя, чтобы не расплакаться. Стоя рядом с ним, она сжала его руку, и Фрэнк, открыв глаза, явно узнал ее, а потом снова погрузился в свой тяжелый, вызванный лекарствами сон. Врачи хотели, чтобы в течение ближайших дней он отдохнул и, набравшись сил, переборол свой инфаркт.

— О Господи! — сказала она, выйдя в коридор, и упала на руки Питера. Он усадил ее в кресло, и медсестра принесла ей воды. — Я просто не могу в это поверить.

Кейт плакала в течение получаса, не в состоянии остановиться, и Питер сидел рядом с ней. А когда наконец пришел доктор, чтобы поговорить с ними, то сказал, что шансы Фрэнка выжить — пятьдесят на пятьдесят.

От этих слов Кэти снова забилась в истерике и остаток дня провела в кресле около реанимационной палаты, постоянно плача и через каждые пять минут бегая к отцу. Он почти все время был без сознания. В конце дня Питер попытался заставить ее немного поесть, однако это было бесполезно. Она сказала, что поспит в холле, но ни на секунду не покинет больницу.

— Кейт, ты должна поесть, — терпеливо продолжал Питер. — Никому не будет лучше от того, что ты свалишься. На ближайший час ты ему не понадобишься. Поезжай в нашу квартиру и полежи. Тебе позвонят, если будет нужно.

— Не говори ерунды, — упрямо сказала она с видом обиженного ребенка. — Я останусь с ним. И буду жить здесь до тех пор, пока ему не перестанет грозить опасность.

По правде говоря, Питер ожидал подобной реакции.

— А я, пожалуй, съезжу домой и проверю, как там мальчики, — задумчиво произнес он, и Кэти кивнула. Меньше всего в данный момент ее интересовали дети. — Я успокою их, а потом вернусь сюда, — говорил он, на ходу продумывая план действий, а Кейт кивала головой, как китайский болванчик. — Ты без меня справишься? — ласково спросил он, но она едва взглянула на него. Его жена отрешенно глядела в окно, словно брошенная всем миром. Она не могла представить себе жизнь без своего отца. В течение первых двадцати лет своего существования он заменял ей весь мир. А в следующие двадцать стал одним из самых важных людей в ее жизни. Питер считал, что Фрэнк был для нее своего рода предметом любви или даже страсти, чтобы не сказать — патологией, и хотя он никогда не упрекал ее в этом, Кейт, казалось, любила отца больше, чем собственных детей. — Все будет в порядке, — мягко заверил ее он, но Кэти только расплакалась и покачала головой. Питер понял, что не в состоянии ей помочь. Кейт хотелось только одного — быть со своим папой.

Он ехал домой так быстро, как это только возможно вечером в пятницу. К счастью, когда он очутился у себя, все трое были дома, и он как можно осторожнее рассказал им об инфаркте Фрэнка, что, разумеется, сильно обеспокоило мальчиков. Питер принялся их успокаивать, а когда Майк спросил, как это произошло, то ответил, что приступ начался во время деловой встречи. Майк немедленно пожелал отправиться в больницу и увидеть дедушку, но Питер сказал ему, что лучше подождать. Когда Фрэнк поправится, его старший внук сможет приезжать к нему из Принстона.

— А как же завтра, папа? — спросил Майк.

Завтра они должны были везти его в университет, и, насколько знал Питер, все уже было готово за исключением каких-то мелочей, которые Кейт не успела купить из-за происшедшего с ее отцом, но Майк вполне мог обойтись и без них.

— Я отвезу тебя завтра. Мать, наверное, останется с дедушкой.

Они быстро пообедали в ресторане, и к девяти Питер снова ехал в город, прямо из машины позвонив Кэти. Она сказала, что никаких изменений нет, хотя ей показалось, что Фрэнк выглядит хуже, чем несколько часов назад. Правда, медсестры сказали ей, что так оно и должно быть.

Питер оказался в больнице около десяти и оставался с Кэти до полуночи, а потом вернулся в Гринвич, чтобы не оставлять детей одних. В восемь часов утра они с Майком сели в машину вместе со всеми его сумками и спортивными принадлежностями и поехали в Принстон. К полудню Майк уже был в своей новой комнате, которую делил еще с двумя мальчиками. Обняв сына, Питер пожелал ему удачи и вернулся в Нью-Йорк, к Кейт и ее отцу. В больницу он попал около двух и, войдя в палату к своему тестю, страшно удивился. Бледный и слабый, Фрэнк сидел в кровати. На нем была чистая пижама, волосы причесаны, и Кейт хлопотала вокруг него, как заботливая мамаша вокруг единственного ребенка. Улучшение было налицо.

— Вот хорошо-то как! — входя, сказал Питер. — Похоже, вы поправляетесь.

Фрэнк улыбнулся. Однако Питер не позволял себе расслабиться. Он не мог забыть услышанное вчера и тот тон, которым были сказаны эти слова. Но все равно было здорово, что Фрэнку удалось справиться с инфарктом.

— Откуда у вас такая красивая пижама?

Фрэнк ничем не напоминал того старика, который бился в судорогах на полу кабинета, заливая все вокруг рвотными массами. Кэти улыбнулась во весь рот. Она не знала ни про неприятные физиологические подробности приступа, ни про обидные слова, сказанные Питеру ее отцом.

— Это я купила, — сияя, объяснила она. — Медсестра сказала мне, что, если улучшение будет продолжаться, завтра папу переведут в отдельную палату.

Сама Кейт выглядела совершенно измученной, но голос ее был радостным. Казалось, она отдала отцу все свои силы, всю кровь, и это помогло ему.

— Ну что ж, я рад, — сказал Питер и поведал обоим о том, как Майк устроился в Принстоне. Фрэнк выглядел весьма довольным. Через некоторое время Кейт помогла ему лечь, и когда он уснул, они с Питером вышли в коридор. Теперь она уже не выглядела такой оживленной, как в тот момент, когда кормила отца с ложечки бульоном. И Питер немедленно понял: что-то произошло.

— Папа рассказал мне о вчерашнем дне, — произнесла она, значительно глядя на него.

— Что это значит?

Он сам смертельно устал и совершенно не хотел играть с ней в какие-то игры. Трудно было поверить в то, что Фрэнк признался в своей неожиданной злобности или повторил ей то, что сказал Питеру. На его памяти тесть никогда ни перед кем не извинялся и не признавал своих ошибок, даже в тех случаях, когда они были вопиющими.

— Ты прекрасно понимаешь, что это значит, — откликнулась Кейт, останавливаясь и спрашивая себя, знает ли она своего мужа. — Он сказал, что, говоря о слушаниях, ты угрожал ему — вплоть до применения физической силы.

— Что?.. — Питер ушам своим не верил.

— Он сказал, что никогда не слышал, чтобы ты с кем-нибудь так разговаривал, что ты отказывался даже слушать его разумные доводы. Он сказал, что для него это оказалось слишком, и... и тогда... — Она расплакалась и некоторое время не могла продолжать, а потом посмотрела на него самым суровым взглядом, на который была способна: — Ты чуть не убил моего отца! Если бы он не был таким сильным и таким выносливым человеком... его бы уже не было в живых. — Она отвернулась, словно не в состоянии больше на него смотреть, и отчеканила: — Я не думаю, что смогу тебя когда-нибудь простить!

— Я тоже кое-что не могу простить, — ответил он, глядя на нее с нескрываемой яростью. — Я думаю, тебе стоило спросить его, что́ он сказал мне перед тем, как у него начался приступ. По-моему, это были слова о том, что много лет назад он купил меня, вложил в меня деньги — ради тебя — и что он скорее убьет меня, чем позволит отказаться от участия в этих дурацких слушаниях.

Питер посмотрел на свою жену ясными голубыми глазами, и она увидела в них нечто, чего никогда раньше не замечала. Потом он повернулся и пошел прочь быстрым шагом, вошел в лифт, и двери закрылись за ним. Кейт даже не сдвинулась с места, чтобы его удержать, но это теперь не имело для него никакого значения. Его больше не интересовала ее преданность.

Глава 11

Фрэнк на удивление быстро поправлялся после своего инфаркта и уже через две недели выписался. Кэти на время переехала к нему, чтобы ухаживать за ним. Питер считал, что это правильно, — им обоим требовалось время, чтобы все обдумать и понять, как им дальше жить. Она не извинилась перед ним за сказанное в больнице, а он больше не заговаривал об этом. Но и ничего не забыл. И Фрэнк, разумеется, больше не упоминал о том, что «купил» Питера. Питер спрашивал себя, помнит ли он вообще о брошенных ему в лицо словах.

Он регулярно навещал своего тестя — из вежливости и для того, чтобы увидеть Кейт, — и обра-

щался с ним исключительно сердечно, но его отношения с Фрэнком стали заметно холоднее. Кэти тоже
держалась на расстоянии от своего мужа. Она была
слишком занята состоянием Фрэнка, чтобы обращать
внимание на Патрика, который пока был дома. О
нем заботился Питер, каждый вечер готовя ему
обед. Двое старших были в школе, и Майк им уже
несколько раз звонил. Ему безумно нравилось в
Принстоне.

Ровно через две недели после инфаркта Фрэнк
снова завел разговор о слушаниях. Оба знали, что их
вопрос, несмотря ни на что, остается на повестке дня
заседаний ФДА. До слушаний оставались считанные
дни. Нужно было либо выступать на них с просьбой
о досрочном запуске, либо отказываться.

— Ну? — спросил Фрэнк, откидываясь на подушки, которые Кейт только что для него взбила. Он
был безупречно выбрит и вымыт, недавно приходил
парикмахер и подстриг его. Этого моложавого старика можно было вполне снимать для рекламы пижамы
и дорогих простыней — он совершенно не был похож на человека, побывавшего на пороге смерти. Тем
не менее Питер боялся его расстраивать. — Что происходит на работе? Как исследования?

Оба знали, в чем истинный смысл его вопроса.

— Я не думаю, что нам стоит это обсуждать.

Внизу Кэти готовила ленч, и у Питера не было никакого желания спорить с ним, а потом иметь дело с обоими Донованами. Он прекрасно понимал, что «Викотек» — это запретная тема, да и врачи говорили ему то же самое.

— Тем не менее мы должны это обсудить, — твердо сказал Фрэнк. — До слушаний осталось несколько дней. Я ничего не забыл, — спокойно добавил он.

Питер тоже не забыл услышанное в офисе. Но Фрэнк не стал ему ни о чем напоминать. На этот раз у него были совсем иные намерения, и очень твердые. Нетрудно было понять, откуда Кейт взяла свое упрямство и стойкость.

— Я вчера звонил на работу, и мне было сказано, что у нас все чисто.

— За исключением одного обстоятельства, — вставил Питер.

— Незначительного теста, сделанного на лабораторных крысах в нестандартной среде. Я об этом знаю. Но это к делу не относится, потому что условия, при которых проводился этот тест, не могут быть воспроизведены в реальной жизни.

— Это действительно так, — ответил Питер, молясь, чтобы Кэти не вошла и не застала их за этим разговором. — Но с технической точки зрения и с точки зрения ФДА это нас дисквалифицирует. Я продолжаю настаивать на том, чтобы мы не участвовали в слушаниях. — Более того, недостатки, выявленные в ходе французских тестов — а эти изъяны были поистине вопиющими, — все еще не были устранены. — Мы должны снова проверить материалы Сушара. Там-то и лежит корень зла. Все остальное — формальность. Нам нужно обязательно пройти тем же путем, что прошел он.

— Мы сможем это сделать до того, как начнется клиническое применение «Викотека», и ФДА совсем необязательно знать эти тонкости. С технической точки зрения препарат удовлетворяет всем их требованиям. Того, что мы имеем на сегодняшний день, им достаточно. Ты должен быть удовлетворен, — со значением закончил он.

— Да. Если бы только Сушар не обнаружил проблему и мы бы не лгали, скрывая это от ФДА.

— Я даю тебе слово, — сказал Фрэнк, игнорируя его слова, — что если в ходе последующих тестов возникнет хоть что-нибудь... самая малость... хоть малейший признак проблемы, я не оставлю это без внимания. Я не безумец и не хочу судебного процесса и иска в сто миллионов долларов. Я не пытаюсь никого убить. Но и самому мне погибать не хочется. Мы получили то, что нам нужно. Давай плясать от этого. Если я тебе пообещаю довести препарат до совершенства, когда мы получим разрешение на досрочные исследования на людях, после всех наших лабораторных тестов, поедешь ли ты на слушания? Объясни мне, пожалуйста, Питер: какой в этом вред? Пожалуйста...

Но он был не прав, и Питер это понимал. Действовать так было бы преждевременно и опасно. Получив разрешение на досрочные испытания на людях, они смогли бы немедленно приступить к ним, и он не верил, что Фрэнк сохранит свое обещание и не пойдет на это. Для Питера не имело никакого значения, что в ходе исследований будут применяться самые низкие дозы «Викотека» на крайне ограниченном количестве людей. Он считал принципиально важным не совершать безответственных поступков и не рисковать жизнью пациентов. Их предупредили о возможных фатальных последствиях использования «Викотека» в том виде, в каком он существует сейчас, и Питер не хотел отворачиваться от этого предупреждения. На примере других фирм он знал, что влечет за собой подобная тактика. Среди фармацевтов ходило множество историй о целых трейлерах с лекарствами, готовыми поступить в продажу немедленно после получения одобрения от ФДА. Питер боялся, что у его тестя на уме нечто подобное и что он запустит «Викотек» на рынок, наплевав на его изъяны. Фрэнк в последнее время вел себя крайне неразумно, и возможности злоупотребления, которое могло повлечь за собой смерть людей, нельзя было исключать. Питер не мог этого допустить.

— Я не могу ехать на ФДА, — печально произнес Питер. — И вы это знаете.

— Ты мне просто мстишь... за то, что я тебе сказал... Ради Бога, я совсем не то имел в виду.

Итак, он все помнил. Неужели он сказал это только в порыве ярости, чтобы как можно больнее задеть Питера, или потому, что действительно так думал?

Теперь это уже было невозможно выяснить, и Питер знал, что никогда не простит ему этих слов. Однако в мстительности его упрекнуть было трудно.

— Ничего подобного. Это этический вопрос.

— Не вешай мне лапшу на уши! Что тебе нужно? Деньги? Гарантию? Я дал тебе слово, что мы не запустим его до тех пор, пока не устраним все проблемы и не закончим все тесты. Что еще?

— Время. Это просто вопрос времени, — устало отмахнулся Питер.

За последние две недели Донованы совершенно измотали его — а на самом деле это началось гораздо раньше, просто он об этом не задумывался.

— Это вопрос денег. И чести. И репутации. Можешь ли ты подсчитать, сколько мы потеряем, если сейчас откажемся от этих слушаний? Это может даже повлиять на реализацию нашей остальной продукции.

Это был бесконечный разговор, и никто из них не хотел согласиться друг с другом. Когда в комнату вошла Кэти, неся на подносе ленч для Фрэнка, они оба были угрюмыми, и она сразу же заподозрила, что они ведут запретные споры.

— Вы что, говорите о работе? — спросила она, но оба покачали головами. Питер тем не менее выглядел виноватым, и чуть позже она упрекнула его.

— Я считаю, что ты должен исправить свое поведение, — загадочно сказала она, когда они мыли посуду в кухне.

— В каком смысле?

— После того, что ты сделал. — Она все еще была убеждена в том, что Питер едва не убил ее отца и что причиной инфаркта стал их спор. Переубедить ее было невозможно. — Мне кажется, ты просто обязан поехать на эти слушания из-за него. Никакого вреда от этого не будет. Он просто хочет, что называется, спасти лицо. Отец обещал обеспечить досрочное разрешение испытаний, и теперь он просто не хочет признать, что не готов. Папа не будет испытывать «Викотек» на людях, если он действительно опасен, — ты же знаешь это. Он не дурак и не сумасшедший. Но он болен, он стар и имеет право не терять лицо перед всей страной. Ты можешь уважить старика в конце концов или нет? — вознегодовала она. — По-моему, он не так уж много просит. А тебе на него просто наплевать. Он признался мне, что в тот день действительно сорвался и наговорил тебе обидных вещей, но только потому, что ты его расстроил. Я уверена, что он не хотел тебя оскорбить. Вопрос в другом, — со значением сказала она, — в том, достаточно ли у тебя большое сердце, чтобы простить его. Или ты заставишь отца заплатить за это, не сделав той единственной вещи, которую он хочет? Ты ведь все равно поедешь в конгресс и можешь появиться и на слушаниях. После того что ты с ним сделал, твой долг перед ним непомерно велик. Сам он сейчас поехать не в состоянии. Ты единственный человек, который может это сделать.

Она повернула все дело так, что Питер выглядел настоящим сукиным сыном, на плечах которого лежала ответственность за инфаркт ее отца. Кроме того, ничто не могло разубедить ее в том, что он мстит Фрэнку за сказанные тем обидные слова. Все это было так мелочно и противно...

— Это никак не связано, Кейт. Все гораздо сложнее. Здесь замешаны честность и этика. Нужно суметь подняться над своим желанием спасти лицо. Что подумают люди — не говоря уже о правительстве, — если обнаружится, что мы отправились на слушания преждевременно? Они просто больше нам не поверят. Это может разрушить все наше дело.

Хуже того, это может разрушить самую личность Питера. Это нарушало все его убеждения, и он знал, что не может этого допустить.

— Он же сказал тебе, что будет продолжать доработку препарата, если придется. От тебя требуется только выполнить долг уважения и поехать на ФДА. — Кэти удалось представить это как нечто незначительное, и она говорила гораздо более убедительно, чем ее отец. Она словно спрашивала его, почему он уперся из-за такой мелочи. Кроме того, из ее слов явствовало, что если Питер согласится на это, то он каким-то образом докажет, что все еще любит ее. — Я прошу тебя о маленьком компромиссе. Вот и все. Неужели ты настолько мелочен, что этого не сделаешь? Ну согласись... один раз. И все. Человек чуть не умер. Он заслуживает этого.

Она была похожа на Жанну д'Арк, размахивавшую перед ним флагом, и Питер, сам не понимая почему, почувствовал, что куда-то падает. Ему казалось, что вся его жизнь поставлена на карту. Это она так повернула все дело. И ставки были слишком высоки, чтобы противостоять ей.

— Питер? — Кейт подняла глаза и посмотрела на него взглядом искусительницы и соблазнительницы, какой она никогда раньше не была, наделенной сверхъестественными способностями и мудростью, и у него не хватило сил даже ответить ей, не говоря уже о том, чтобы противостоять. Сам того не желая, он кивнул. И Кейт правильно расценила этот кивок.

Итак, все было кончено. Она победила. Он поедет на слушания.

Глава 12

Ночь перед отъездом в Вашингтон превратилась для Питера в кошмар. Он все еще не мог поверить в то, что́ согласился сделать для своей жены и тестя. Впрочем, было совершенно очевидно, что Кэти благодарна ему за этот поступок. Ее отец не уставал источать тепло и благодарность Питеру. У самого же Питера было такое ощущение, как будто его катапультировали на другую планету, где все было нереально. Его сердце превратилось в камень, а мозг, казалось, ничего не весил. Он с трудом понимал, что делает.

Единственное, что ему оставалось сделать, — это попытаться осмыслить происходящее в том же ключе, что и Фрэнк. «Викотек» был почти готов, и если в нем все еще будут какие-то изъяны, они исправят их перед тем, как выпустить его на рынок. Но с моральной и правовой точек зрения они совершали недопустимый поступок, и все как один это понимали.

Тем не менее Питер понимал также, что теперь у него нет выбора. Он уже дал обещание Кейт и ее отцу. Единственное, что его волновало, — это как он будет жить после этого. Может быть, так, компромисс за компромиссом, он будет постепенно приспосабливать свои этические принципы к неприглядной действительности, вступая во все новые сделки с собственной совестью? И за этой уступкой последуют другие нарушения принципов, по которым он пытался жить раньше?

Это был занятный философский вопрос, и если бы не ощущение, что на карту поставлена его жизнь, у него был бы к этому несколько отстраненный интерес. А сейчас он не мог ни есть, ни спать. За несколько дней он потерял три килограмма и выглядел ужасно. Накануне отъезда в Вашингтон секретарша спросила его, не болен ли он, но Питер просто покачал головой и сказал, что это от переутомления на работе. Из-за отсутствия Фрэнка, которое должно было продолжаться еще по крайней мере месяц, на его плечи лег гораздо более серьезный груз. И перед конгрессом ему нужно было выступить утром в тот же день, когда начинались слушания ФДА.

В день перед отъездом он задержался на работе, просматривая последние отчеты. На самом деле в них все было хорошо за исключением одного маленького изъяна, который был связан как раз с тем, что говорил Сушар в июне. Питер не сомневался в том, что означал этот недостаток. Согласно заключению ученых, он был связан с относительно незначительной стороной вопроса, и Питер даже не стал беспокоить по этому поводу Фрэнка. Он знал, что тот все равно не станет слушать. «Не беспокойся об этом. Езжай на слушания, а это мы исправим позже». Но Питер тем не менее взял отчеты домой и снова перечитал их вечером. Он не мог уснуть до двух часов ночи, размышляя над всем этим. Кэти, наконец-то переехавшая домой от Фрэнка, безмятежно спала рядом. Она собиралась с ним в Вашингтон и даже купила для этой поездки новый костюм. Донованы были так довольны капитуляцией Питера, что оба пребывали в отменном настроении с того самого дня, когда Питер согласился ехать. Ему же это казалось адской задачей, и Кэти упрекала его в том, что он очень серьезно ко всему этому относится. Она говорила, что он просто слишком нервничает перед своим выступлением в конгрессе.

В конце концов в четыре часа утра он уселся перед окном в студии, листая последние отчеты. Ему бы хотелось обсудить их с каким-нибудь знающим человеком. Людей из исследовательских групп в Германии и Швейцарии он плохо знал лично, а с тем, кто пришел на место Сушара в Париже, у него еще не установился контакт. Было совершенно ясно, что Фрэнк нанял его потому, что он был покладистым и уступчивым, но понимать его было трудно. Его язык был настолько наукообразным, что говорить с ним — все равно что пытаться беседовать с японцем. Внезапно Питеру пришла в голову одна мысль, и он принялся листать свою записную книжку. Интересно, есть ли у него этот номер дома? Наконец он нашел его. В Париже сейчас было десять часов утра, и если Питеру повезет, он будет на месте. Он назвался его секретарше по имени, и после двух гудков в трубке раздался знакомый голос:

— Алло? — Это был Поль-Луи. Питер позвонил ему на его новое место работы.

— Здравствуйте, Поль-Луи, — усталым голосом сказал Питер. Для него это была бесконечная ночь. Ему хотелось, чтобы Поль-Луи помог ему принять решение, которое наконец удовлетворило бы его. Это была единственная причина его звонка. — Это Бенедикт Арнольд*.

— Qui? Allo? Кто говорит? — спросил тот растерянно, и Питер улыбнулся.

— Это предатель, которого давным-давно нет в живых. Salut**, Поль-Луи, — перешел он на французский. — Это Питер Хаскелл.

— А... d'accord***. — Он наконец понял. — Итак, вы все-таки туда едете? Они вас вынудили?

Поль-Луи сам обо всем догадался. Голос Питера выдал его.

— Хотел бы я, чтобы это было так, — дипломатично сказал Питер. Несмотря на то что его действительно заставили, он был слишком горд, чтобы признать это. — Я сам вызвался, и тому было несколько причин. Около трех недель назад у Фрэнка был едва не окончившийся смертью инфаркт.

---

* Арнольд, Бенедикт (1741—1801) — американский генерал времен Войны за независимость. В 1780 г. сдал британской армии Вест-Пойнт и дезертировал к англичанам. — Примеч. ред.

** Привет (фр.).

*** Действительно (фр.).

— Понятно, — торжественно ответил Поль-Луи. — Что я могу для вас сделать? — Он теперь работал на конкурирующую фирму, но к Питеру питал искреннюю привязанность. — Вы ведь не просто так позвонили? — в лоб спросил он.

— Я думаю, мне нужно отпущение грехов, хотя я его не заслуживаю. Я просто получил новые отчеты, и мне кажется, что в них все в порядке, если я правильно во всем разобрался. Мы заменили два компонента, и все уверены в том, что проблема решена. Но существует серия результатов, которые я понимаю не до конца, и я подумал, что вы, может быть, будете в состоянии пролить на них свет. Здесь я ни с кем не могу поговорить откровенно. Мне нужно знать, может ли «Викотек» кого-нибудь убить. Вся проблема по-прежнему в этом. Я бы хотел, чтобы вы высказали свое мнение. Считаете ли вы его по-прежнему опасным или мы наконец вышли на правильный путь? У вас есть время на это?

У Поля-Луи времени не было, но ему хотелось сделать Питеру приятное. Распорядившись ни с кем его не соединять, он немедленно вернулся к Питеру:

— Пошлите мне отчеты по факсу.

12*

Питер так и сделал, и в трубке повисло долгое молчание — Поль-Луи читал отчеты. В течение следующего часа они снова и снова обговаривали детали. Питер старательно и как можно более компетентно отвечал на все вопросы, и в конце концов его собеседник снова замолчал. Питер понял, что он принимает решение.

— Вы должны понимать, что все это очень субъективно. На данной стадии нельзя четко и ясно истолковать эти результаты. Конечно, лекарство получается хорошее. Это замечательный продукт, который поможет нам победить рак. Но существуют дополнительные элементы, которые ждут своей оценки. Мне трудно сейчас дать вам ее. Полная уверенность недостижима. И риск, разумеется, существует всегда. Вопрос в том, готовы ли вы платить за этот риск.

Это было сказано очень по-французски, но Питер оценил и понял его философские рассуждения.

— Для нас вопрос в том, насколько велик этот риск.

— Я вас понимаю. — Он действительно полностью понимал это. Именно это беспокоило его в июне, когда Питер был в Париже. — И у меня не вызывает сомнения, что ваши люди после нашей последней встречи хорошо поработали. Теперь они на правильном пути... — Его голос отдалился, и Питер понял, что Поль-Луи прикуривает. Все европейские ученые, с которыми встречался Питер, имели эту привычку.

— И теперь мы у цели? — неуверенно спросил Питер, почти боясь услышать ответ.

— Нет... еще нет, — печально ответил Сушар. — Может быть, это произойдет очень скоро, если вы продолжите работу в этом направлении. По моему мнению, «Викотек» все еще таит в себе потенциальную опасность, особенно в неопытных руках.

«То есть именно в тех руках, — подумал Питер, — для которых он и предназначен». Он создавался с таким расчетом, чтобы его мог применять непрофессионал, например член семьи больного. Использование «Викотека» позволило бы проводить химиотерапию дома, без госпитализации и даже не в кабинете врача.

— Это все еще убийца, Поль-Луи? — Именно так Сушар назвал препарат в июне. Питеру казалось, что эта фраза по-прежнему стоит у него в ушах.

— Думаю, да. — Голос на другом конце провода звучал немного виновато, но ясно. — Вы еще не у цели, Питер. Нужно время, и вы там окажетесь.

— А слушания?

— Когда они начинаются?

Питер посмотрел на часы. Было пять утра.

— Через девять часов. В два часа дня по Вашингтону. Через два часа я уезжаю.

Самолет вылетал в восемь, а в одиннадцать он собирался появиться в конгрессе.

— Я не завидую вам, друг мой. Что я могу вам сказать? Если вы хотите быть честным, скажите, что это замечательное лекарство, но оно еще не готово. Процесс пока идет.

— Не нужно участвовать в слушаниях, чтобы говорить это. Мы просим разрешения на досрочные клинические исследования, основанные на наших лабораторных тестах. Фрэнк хочет получить одобрение ФДА, чтобы препарат был выброшен на рынок немедленно после того, как мы пройдем через все фазы испытаний на людях.

Сушар присвистнул:

— Это меня пугает. Почему же он так жмет на вас?

— В январе он хочет оставить фирму. И до этого ему, естественно, нужно подбить бабки. Это будет его прощальный дар человечеству. И мне. Несмотря

на то что на самом деле это бомба с часовым меха-
низмом.

— Так и есть, Питер. Вы должны это понимать.

— Я понимаю. Но больше никто об этом даже и
слышать не хочет. Он говорит, что отложит испытания на людях до конца года, если мы к ним еще не
готовы. Но при этом он настаивает, чтобы я поехал в
Вашингтон. По правде говоря, это долгая история.

История, в которой замешаны эго старика и рас-
считанный риск миллионным делом. Но в данном случае Фрэнк ошибся в своих расчетах — они были
построены на его тщеславии. Это был опасный шаг,
который мог разрушить его бизнес до основания, но
он все еще отказывался это замечать. Странно было
то, что Питер все это прекрасно понимал. Фрэнк
был упрям до безумия. Может быть, он стремительно старел или просто ослеп от своего всевластия?
Понять его логику было невозможно.

Питер поблагодарил Поля-Луи за помощь, и француз пожелал ему удачи. Положив трубку, Питер отправился на кухню сварить себе кофе. У него все еще
была возможность отказаться, но он просто не мог
понять, как ему это сделать. Можно, конечно, по-

ехать на слушания, а потом уволиться из «Уилсон—
Донован», но это не защитит людей, которым он
пытался помочь и которые теперь могли серьезно
пострадать из-за своего доверия к фирме. Проблема
была в том, что он не верил в способность Фрэнка
отказаться от испытаний на людях в том случае, если
результаты их лабораторных исследований не изме-
нятся к лучшему в самом ближайшем будущем. Что-
то подсказывало Питеру, что Фрэнку очень хочется
рискнуть. Слишком много денег было вложено в это
дело, чтобы думать о риске для человеческой жизни,
и искушение было непомерно велико.

Через некоторое время Кэти услышала, как он
ходит по кухне, и пришла туда до того, как зазвонил
будильник. Питер сидел, подпирая голову рукой, и
пил вторую чашку кофе. Она никогда не видела мужа
в таком состоянии — он выглядел даже хуже, чем
Фрэнк сразу же после инфаркта.

— О чем ты так беспокоишься? — спросила она,
кладя руку ему на плечо. Питер не мог ей этого объяснить — она либо не поняла, либо не захотела бы
понять. — Все кончится, прежде чем ты успеешь
заметить.

Она говорила об этом как о самой обычной, рутинной процедуре, а не об отказе от всех его нравственных убеждений. Его этика, его честь, его принципы были попраны, но Кэти этого не видела. Питер посмотрел на жену, усевшуюся напротив него, несчастным взглядом. На Кэти была надета новая розовая ночная рубашка, в которой она почему-то выглядела очень неприступной.

— Я делаю это по неправильным причинам, Кейт. Не потому, что так надо или что мы к этому готовы. Я делаю это для тебя и для твоего отца. Словно меня принудили к этому мафиози под дулом пистолета.

— Какие гадости ты говоришь! — раздраженно сказала она. — Как ты можешь делать такие сравнения? Ты делаешь это потому, что это правильно, и, кроме того, ты в долгу перед моим отцом.

Питер откинулся на спинку стула и задумчиво посмотрел на жену, спрашивая себя, что готовит им будущее. Ничего хорошего, судя по последним событиям. Теперь он понимал, что чувствовала Оливия, говорившая, что она продана Энди. Это была жизнь, основанная на лжи и амбициях. А в данном случае — на шантаже.

— Интересно, в чем, по вашему с Фрэнком мнению, состоит мой долг? — спокойно спросил он. — Твой отец считает, что я многим ему обязан. Но по-моему, все эти годы это были честные отношения — я в поте лица трудился на фирме и получал за это деньги. И у нас с тобой была настоящая семья — по крайней мере мне так казалось. Но в последнее время эта идея насчет «долга» всплывает все чаще и чаще. Скажи мне точно, почему именно, по-твоему, я «обязан» ехать на эти слушания?

— Потому что, — очень осторожно начала Кейт, ступив на зыбкую почву, которая вполне могла оказаться минным полем, — фирма хорошо относилась к тебе в течение двадцати лет, и это с твоей стороны будет своего рода отдачей, возвращением долгов. Ты поедешь отстаивать продукт, который может принести нам миллиарды.

— Так вот в чем все дело? В деньгах?

Питер чуть было не лишился чувств, услышав это. Оказывается, его купили именно за это. За миллиарды! «Что ж, по крайней мере это недешево», — мрачно усмехнулся он про себя.

— Отчасти. Нельзя быть таким целомудренным в этих вопросах, Питер. Ты участвуешь в разделе прибыли нашей компании. Ты прекрасно знаешь, ради чего мы работаем. Кроме того, подумай о детях. Что будет с ними? Ты можешь разрушить и их жизни. — Кейт говорила холодно, расчетливо и очень сурово. За всеми этими разговорами об отце стояло одно — деньги.

— Надо же, как смешно! А у меня была эта безумная идея, что таким образом мы поможем человечеству, спасем жизни людей... Я-то считал, что все эти четыре года стараюсь именно для этого. Но даже для такой благородной цели я не могу лгать. А тем более для такой низменной, как деньги.

— Ты хочешь сказать, что ты опять отказываешься? — в ужасе спросила Кейт, которая сама поехала бы на слушания, будь она в числе сотрудников. Фрэнк еще не оправился и ехать не мог, так что все зависело от Питера. — Знаешь, я очень много думала над этим перед тем, как высказать тебе свое мнение, — продолжала она, вставая и глядя на него сверху вниз. — Я думаю, справедливо будет сказать, что если ты сейчас не сделаешь того, что мы хотим, то на твоем будущем в «Уилсон—Донован» можно поставить жирный крест.

— А на нашем браке? — спросил он, играя с огнем и сознавая это.

— Посмотрим, — тихо ответила она. — Но я расценю твой поступок как страшное предательство.

Питер понял, что она готова была подписаться под каждым своим словом, но внезапно, просто посмотрев на нее, он вдруг успокоился. Она была безжалостна, каждое слово ее было продумано, и такой она была всегда, просто Питер этого не замечал.

— Хорошо, что я теперь досконально знаю твою позицию, Кейт, — невозмутимо ответил он, тоже вставая и глядя ей прямо в глаза через кухонный стол.

Она не успела ответить, как в кухню вошел Патрик.

— Что это вы тут делаете так рано? — сонно спросил он.

— Мы с мамой едем сегодня в Вашингтон, — твердым голосом произнес Питер.

— А, я забыл. А дедушка? — Патрик зевнул и налил себе стакан молока.

— Нет, врач сказал, что пока рано, — объяснил Питер.

Фрэнк позвонил через несколько минут, желая поговорить с Питером до его отъезда и напомнить ему о том, что́ тот должен говорить в конгрессе о ценах. В последние несколько дней они уже десять раз все это обсуждали, но Фрэнк хотел быть на все сто процентов уверенным в том, что Питер будет отстаивать политику компании в конгрессе.

— Мы не откажемся от наших цен. Это касается и «Викотека», когда он будет выброшен на рынок. Не забудь об этом! — сурово напомнил Фрэнк. Его соображения по поводу цены на «Викотек» тоже шли вразрез со всеми представлениями Питера.

Когда он вернулся к столу, Кейт внимательно посмотрела на него.

— Все в порядке? — спросила она и улыбнулась, когда он кивнул. Потом они оба пошли одеваться и через полчаса уже ехали в аэропорт.

Питер казался странно спокойным и почти не разговаривал с Кейт. Поначалу это ее немного пугало, но она поняла, что он, наверное, нервничает. Теперь уже можно было не бояться, что он откажется. Питер всегда заканчивал то, что начинал.

Лететь из Ла-Гуардии в Национальный аэропорт было недолго, и Питер использовал это время для того, чтобы еще раз просмотреть бумаги. Он взял с собой несколько папок по вопросам цен и последние отчеты по «Викотеку». Особенно обращал внимание на те пункты, которые отметил Сушар в их ночном разговоре. Все, что было связано с «Викотеком», волновало его гораздо больше, чем его выступление в конгрессе.

Кейт позвонила отцу из самолета и заверила его в том, что все идет по плану. В Вашингтоне их встречал лимузин, на котором они отравились в конгресс. Приехав туда, Питер окончательно успокоился. Он знал, что скажет им, и совершенно не волновался.

В прихожей его встретили две сотрудницы аппарата конгресса, которые отвели его в комнату для гостей и предложили кофе. Кейт оставалась с ним, пока за ней не пришла еще одна служащая и не отвела ее на галерею, откуда она могла наблюдать за выступлением мужа. Кейт пожелала ему удачи и коснулась его руки, но не поцеловала. Через несколько минут его тоже провели в зал, и тут он забеспокоился. Как бы хорошо ты ни был подготовлен, все равно не так-то просто предстать перед людьми, которые управляют страной, и высказать перед ними свое мнение. Он был здесь уже второй раз, но в первый раз с ними разговаривал в основном Фрэнк. Теперь все было по-другому.

Питера отвели к столу свидетелей, и он прочел присягу. Члены подкомитета сидели напротив него перед микрофонами. После того как он представил себя и свою компанию, его немедленно засыпали вопросами, ответы на которые члены конгресса слушали с большим интересом.

Его спрашивали о конкретных препаратах и его мнении по поводу чрезмерно завышенных цен на них. Он пытался как можно более доступно излагать причины этого, но даже для его собственных ушей эти объяснения казались неискренними и в известной степени пустыми. Истина была в том, что компании, производящие эти лекарства, фактически играли на нуждах людей, и конгрессу это было прекрасно известно. «Уилсон—Донован» тоже была не без греха в этом вопросе, хотя ее практика не была такой вопиющей, как у некоторых других.

После этого конгрессмены затронули вопрос страховки, а в самом конце женщина из Айдахо сказала, что знает о намерении Питера требовать на начинающихся в этот же день слушаниях ФДА разрешения на досрочные испытания нового препарата на людях. Она попросила его рассказать немного об этом, просто для того чтобы конгресс был информирован о новых тенденциях в фармацевтике.

Питер объяснил все это как можно проще, не вникая в технические детали и не приоткрывая никаких секретов. Он сказал членам конгресса, что этот препарат изменит саму природу химиотерапии и сделает проведение процедур доступным непрофессионалу. Матери смогут применять его при лечении своих детей, мужья — при лечении жен. В принципе человек сможет даже использовать его сам. Это будет настоящая революция в уходе за раковыми больными. Обычный человек, живущий в деревне или в отдаленных от крупных городов областях, сможет лечить себя или членов своей семьи.

— А сможет ли «обычный человек», как вы говорите, позволить себе приобрести этот препарат? Я думаю, что это основной вопрос, — спросила другая женщина-конгрессмен, и Питер кивнул:

— Разумеется, мы на это рассчитываем. Удержание цены на максимально низком уровне входит в концепцию «Викотека». Препарат должен быть доступен всем, кто в нем нуждается. — Он произносил эти слова тихо, но очень уверенно, и несколько человек одобрительно кивнули. Питер произвел впечатление очень компетентного и прямого свидетеля. Через несколько минут конгрессмены уже благодарили его и пожимали руку, желая удачи на слушаниях ФДА с этим новым замечательным препаратом. Питер был очень доволен собой, когда шел по коридору за провожавшей его ассистенткой. Через минуту к нему присоединилась Кэти.

— Зачем ты это сказал? — несчастным голосом спросила она вместо того, чтобы поздравить его или сказать, что он держался молодцом. Даже посторонние люди делали это. Но его жена смотрела на него с едва скрываемым неодобрением. Питеру казалось, что сам Фрэнк сверлит его глазами. — Ты говорил так, будто мы будем раздавать «Викотек» бесплатно. Ты же прекрасно знаешь, что папа хотел от тебя совсем другого. Это же будет дорогое лекарство. Оно должно быть дорогим, если мы хотим получить наши деньги обратно вместе с прибылью, которой мы заслуживаем.

Снова голый расчет, снова тот же холодный взгляд.

— Не будем об этом говорить, — сказал Питер, беря свой кейс. Он поблагодарил ассистенток и вышел из здания.

Кейт следовала за ним. Ему не хотелось ничего с ней обсуждать, потому что она все равно не могла его понять. Она очень хорошо разбиралась в прибыли от продаваемых компанией лекарств, но не в духе их деятельности, в словах, но не в их значении. Сейчас Кейт не осмеливалась давить на него. Одно препятствие он успешно преодолел, но теперь перед ним стояла задачка посложнее — слушания ФДА. До их начала оставалось чуть больше часа.

Они сели в лимузин, и Кейт предложила зайти куда-нибудь на ленч, но Питер покачал головой. Он обдумывал то, что она сказала ему после слушаний в конгрессе. По ее мнению, он их провалил. Он не поддержал политику компании, которая состояла в том, чтобы сделать цены на «Викотек» и все их остальные лекарства как можно более дорогими, получить максимальную прибыль, которая бы удовлетворила Фрэнка. Питер был вполне доволен сутью своего выступления; в ближайшие месяцы он намеревался бороться до последнего, чтобы снизить цену на «Викотек». Фрэнк даже не подозревал, каким непреклонным собирался быть Питер.

В конце концов они перекусили сандвичами прямо в машине, запивая их кофе из бумажных стаканчиков. Когда лимузин затормозил около здания ФДА в Роквилле, штат Мэриленд, Кейт показалось, что Питер все-таки разнервничался. От Капитолийского холма до этого места было полчаса езды. Здание казалось не слишком красивым, но здесь происходили важные события, и он мог думать только об этом. О том, что произойдет здесь сегодня. О том, ради чего он приехал сюда. О том, что он пообещал Фрэнку и Кэти. Это обещание трудно ему далось, но войти под своды этого здания оказалось еще труднее. Он знал, что сейчас скроет от ФДА значительный изъян и сделает вид, что препарат готов к испытаниям на ничего не подозревающих людях. Оставалось только молиться, чтобы Фрэнк не солгал ему и приостановил бы производство продукта, если в этом возникнет необходимость.

Когда Питер вошел в зал для слушаний, его ладони были влажными, а сам он от волнения не замечал присутствующих. Кэти села, и Питер не сказал ей ни слова. По правде говоря, он про нее совершенно забыл. Перед ним стояла трудная задача — принести в жертву свои идеалы и отказаться от своих принципов. Но ведь если они смогут довести «Викотек» до совершенства, он будет спасать жизни или по крайней мере продлевать их. Положение было хуже некуда — он знал, что делает недопустимую вещь, и в то же время речь шла о лекарстве, которое было жизненно необходимо.

Здесь его не заставляли приносить присягу, но ответственность за произнесенные в этом месте слова была гораздо серьезнее. Питер огляделся и почувствовал головокружение, но потом взял себя в руки. Он по крайней мере знал, что ему делать. И скоро все будет кончено. Он надеялся, что предательство тех самых людей, которые должны были ему помочь, займет всего несколько минут, хотя на самом деле, как он боялся, это могло отнять куда больше времени.

Ожидая, пока совет начнет задавать ему вопросы, Питер почувствовал, как его руки дрожат. Это был самый ужасный опыт в его жизни, совсем не похожий на его появление перед конгрессом сегодня утром. Выступление перед ФДА было куда более зловещим — на карту ставилось нечто гораздо большее, и на плечах его лежала ни с чем не сравнимая ответственность. Но Питер продолжал говорить себе, что ему не остается ничего другого, как пройти через это. Он не мог себе позволить думать: ни о Кейт, ни о Фрэнке, ни о Сушаре, ни даже об отчетах, которые он так внимательно изучал. Нужно было просто встать и говорить о «Викотеке», о котором он все знал. Он сел за узким длинным столом и замер в нервном ожидании.

Потом он внезапно вспомнил о Кэти и обо всем, чем он жертвует ради нее и ради ее отца. Он отдавал им свою честь и свою смелость. Этого должно было с лихвой хватить для того, чтобы отдать все долги — и ей, и ее отцу.

Но тут глава комитета начал задавать вопросы, и Питер собрался с силами и выбросил посторонние мысли из головы. Вопросы были очень специальные и очень технические, и Питеру пришлось попотеть, чтобы компетентно ответить на них. Какова цель его приезда на ФДА? Очень четко, кратко, чистым и сильным голосом Питер объяснил, что приехал просить разрешения на испытания на людях для препарата, способного, по его мнению, произвести революцию в жизни той части американского общества, которая страдает от онкологических заболеваний. Члены комитета зашептались между собой, зашуршали бумагами и стали с интересом слушать описание «Викотека» и предполагаемого механизма его применения. Питер говорил примерно то же самое, что сегодня утром в конгрессе. Разница была только в том, что этих людей трудно было подкупить медицинским шоу, посвященным чудо-лекарству. Они хотели и в состоянии были понять самые сложные детали. Через некоторое время, взглянув на висевшие на стене часы, Питер с ужасом осознал, что он говорит уже целый час. Наконец ему задали последний вопрос:

— А действительно ли вы, мистер Хаскелл, убеждены в том, что «Викотек» готов к исследованиям на людях, даже если вести речь о маленьких дозах и очень ограниченном количестве пациентов, которые понимают, что идут на риск? Считаете ли вы, что досконально знаете природу всех компонентов препарата и все до единого возможные побочные действия? Даете ли вы нам слово, сэр, что без всяких сомнений готовы начать испытания на пациентах?

Питер четко расслышал вопрос, посмотрел в лицо спрашивающему и еще раз мгновенно проговорил про себя заранее заготовленный ответ. Он пришел сюда именно для того, чтобы сделать это. Все это было затеяно ради единственного слова, ради того, чтобы заверить их, что «Викотек» в действительности является таким, о каком он говорил. И ему оставалось только пообещать им, хранителям безопасности американцев, что «Викотек» не принесет им вреда.

Питер оглядел комнату, посмотрел в лица людей, подумал об их мужьях и женах, матерях и детях, о бесчисленном количестве людей, которым предстоит воспользоваться «Викотеком», и понял, что не может это сделать. Ни для Фрэнка, ни для Кейт — ни для кого. Но самое главное — ни для себя самого. Внезапно он понял, что не должен был сюда приезжать. Чего бы ему это ни стоило, что бы ни сказали люди, что бы ни сделали с ним Донованы — ему не нужно было появляться в этой комнате. Он не мог лгать этим людям о «Викотеке» и о чем-либо ином. Это было не в его духе. И он не сомневался в том, что́ ожидает его, если он не скажет тех слов, которых от него ждали жена и тесть. Питер с абсолютной ясностью понимал, что этот самый момент — поворотный для его жизни, для работы, семейного благополучия, даже, если не повезет, для его отношений с сыновьями. Они почти взрослые и, возможно, смогут понять, что́ защищал их отец в этот день. И если дети правильно воспримут его поступок и усвоят, что честь стоит того, чтобы заплатить за нее такую цену, то это будет означать, что он неплохо воспитал их. И он окончательно решил, что готов на все ради того, чтобы быть честным перед своим народом.

— Нет, сэр, я не могу дать вам слово, — твердо ответил Питер. — Я надеюсь, что очень скоро это будет возможно. По моему мнению, мы разработали один из самых замечательных фармацевтических препаратов в истории человечества, в котором отчаянно нуждаются раковые больные всего мира. Но я не убежден в том, что мы сейчас ничем не рискуем.

— В таком случае вы не можете ожидать, мистер Хаскелл, что мы сейчас дадим вам разрешение на первую фазу испытаний на людях, не так ли? — с легким смущением спросил его старший член комитета, в то время как его товарищи спрашивали друг друга, зачем Питер вообще приехал. Как правило, слушания ФДА не использовались в качестве арены для обсуждения незаконченной продукции. Но в конце концов они отдали дань уважения его честности, хотя никто из них и не ставил ее под сомнение. Только один человек среди присутствующих ерзал на своем месте от ярости. И еще один будет ждать его дома, когда Кэти скажет ему, что он предал их.

— Хотите ли вы, чтобы мы назначили вам другую дату приезда, мистер Хаскелл? Это будет более целесообразно, чем тратить на вас время сейчас.

Сегодня им предстояло выслушать еще нескольких человек — Питер был первым.

— Да, я хотел бы назначить новый срок. Я думаю, что через шесть месяцев это будет реально.

Даже в этом случае им придется попотеть, но, судя по словам Поля-Луи, они смогут добиться нужных результатов.

— Благодарим за приезд.

С этими словами его отпустили, и все было кончено. Питер вышел из комнаты на трясущихся ногах, но с выпрямленной спиной, высоко поднятой головой, и он чувствовал себя порядочным человеком. Он увидел Кейт, ожидавшую его вдали, и подошел к ней. Было ясно, что она его не простит. На глазах ее были слезы — то ли гнева, то ли разочарования, а может быть, и того и другого, — но Питер не пытался ее утешить.

— Прости меня, Кейт. Я не хотел этого делать. Я просто не понимал, что значит стоять перед этими людьми и врать им. Это слишком авторитетная комиссия. Я просто не смог.

— Я и не просила тебя врать, — солгала она. — Я просто не хотела, чтобы ты предавал моего отца. — Она посмотрела на него печальным взглядом. Все было кончено, и она это знала. Для них обоих. Он больше не хотел уступать ей и отказываться от того, во что он верил. До этого момента он не осознавал, насколько далеко зашел в своих компромиссах. — Ты хоть понимаешь, что сейчас натворил? — безжалостно спросила она, готовая изо всех сил защищать своего отца, но не своего мужа.

— Нетрудно догадаться.

Сегодня утром Кэти недвусмысленно высказалась на этот счет на кухне в Гринвиче. И Питер решил не уклоняться от этого. В каком-то смысле это было именно то, к чему он стремился. Свобода.

— Ты честный человек, — произнесла его жена, глядя ему прямо в глаза. В ее устах это звучало как обвинение. — Но не слишком умный.

Он кивнул, и она повернулась и пошла прочь, даже не глядя на него, но Питер не попытался ее остановить. Все было кончено уже очень давно, хотя ни один из них об этом не подозревал. Он даже чуть было не спросил себя, была ли она замужем за ним или за своим отцом.

Выйдя из здания ФДА в Роквилле, он понял, что ему о многом предстоит подумать. Кейт только что скрылась в лимузине и уехала, оставив его одного в Мэриленде, в получасе езды от Вашингтона. Но это его не волновало. Это был один из самых важных дней в его жизни, и ему казалось, что он может летать. Он прошел через испытание, и, по его мнению, прошел удачно. «Даете ли вы нам слово, сэр...» — «Нет, я не могу». Питер все еще не мог поверить в то, что сделал это, и не понимал, почему в его сердце нет ненависти к Кейт, но ее действительно не было. Он только что потерял жену, работу, дом. Сегодня утром в качестве президента международной компании он предстал перед конгрессом, а днем — перед ФДА, а вышел он оттуда с пустыми руками, безработный и одинокий. У него не осталось ничего, кроме чести и знаний, которые он не продал. Он сделал это!

Питер стоял и улыбался сам себе, глядя в сентябрьское небо, и в этот момент он услышал за спиной женский голос, знакомый, но странный. Он был немножко хриплый и как будто пришедший из другого времени, другого места. Пораженный, он обернулся и увидел Оливию.

— Что ты здесь делаешь? — спросил он, мечтая
ее обнять и не решаясь. — А я-то думал, что ты
сидишь во Франции и пишешь.

Он выпил ее взглядом, как вино, и Оливия посмотрела на него с улыбкой. На ней были черные
брюки и черный свитер, а через плечо был перебро-
шен красный пиджак. Она была похожа на француз-
скую рекламу, и Питер мог думать только о той ночи,
когда он последовал за ней на Вандомской площади,
и о том, что произошло в те пять дней, когда они
были в Париже, — пять дней, изменивших их жизнь
навсегда. Теперь она была еще более красивой, и,
глядя на нее, Питер понял, как сильно он по ней
соскучился.

— Ты сегодня был очень хорош, — сказала она,
широко улыбаясь ему. Она явно гордилась им, но не
ответила на его вопрос. Оливия приехала для того,
чтобы поддержать его во время этого испытания, пусть
даже невидимо. О слушаниях она прочитала в «Ге-
ральд трибюн» в Европе. Сама не зная почему, она
поняла, что должна быть здесь. Она знала, что значил для него «Викотек», знала о тех проблемах, которые возникли как раз в то время, когда они
встретились. И ей захотелось разделить с ним это.

Ее брат сказал ей, когда будут слушания, и устроил так, чтобы она могла на них присутствовать. И теперь она была рада, что прислушалась к своей интуиции. Эдвин говорил ей о слушаниях в конгрессе и провел ее туда. И хотя брат удивился ее внезапному интересу к фармацевтике, никаких вопросов он не задавал.

— Ты гораздо смелее, чем сам думаешь, — сказала Оливия, глядя на Питера снизу вверх, и он обнял ее, спрашивая себя, как он выдержал эти три с половиной месяца разлуки. Теперь он и представить себе не мог, что можно оставить ее, пусть даже на одно мгновение.

— Нет, это ты смелая, — тихо сказал он, с восхищением глядя на нее. Она отказалась от всего, что было у нее в жизни, и ничем не поступилась. И вдруг Питер понял, что только что сделал то же самое. Он отказался от жены, работы и всего остального ради своих убеждений. Теперь они оба были свободны. Конечно, цена за эту свободу была велика, но игра стоила свеч — для обоих.

— Что ты делаешь сегодня днем? — улыбнувшись спросил он, перебирая в уме тысячу возможностей: памятник Вашингтону, мемориал Линкольна, прогулка вдоль Потомака, номер в гостинице... или полет в Париж.

— Ничего, — улыбнулась она и тихо добавила: — Я приехала к тебе. — Она не рассчитывала на то, что ей удастся поговорить с ним. — Завтра утром я возвращаюсь.

Она даже родителям не сказала о своем приезде, лишь Эдвину, а он пообещал никому не говорить. И все это ради того, чтобы только взглянуть на Питера, даже если он этого не заметит.

— Можно ли угостить вас кофе? — церемонно спросил он, и они оба улыбнулись, вспомнив площадь Согласия и их первую ночь на Монмартре.

Питер взял ее за руку, и они сделали первые шаги к так дорого доставшейся им свободе.

Уважаемые читатели!
Даниэла Стил готова ответить
на ваши вопросы.
Присылайте их по адресу:
129085, Москва, Звездный бульвар, 21
Издательство АСТ, отдел рекламы

Литературно-художественное издание

Стил Даниэла

Пять дней в Париже

Художественный редактор О.Н. Адаскина
Компьютерный дизайн: Е.Н. Волченко
Технический редактор О.В. Панкрашина

Подписано в печать 30.06.99.
Формат 84x108 $^1/_{32}$. Усл. печ. л. 20,28.
Тираж 8000 экз. Заказ № 1238.

Налоговая льгота – общероссийский классификатор продукции
ОК-00-93, том 2; 953000 – книги, брошюры

Гигиенический сертификат
№ 77.ЦС.01.952.П.01659.Т.98 от 01.09.98 г.

ООО "Фирма ''Издательство АСТ"
ЛР № 066236 от 22.12.98.
366720, РФ, Республика Ингушетия,
г.Назрань, ул.Московская, 13а
Наши электронные адреса:
WWW.AST.RU
E-mail: astpub@aha.ru

Отпечатано с готовых диапозитивов
в типографии издательства "Самарский Дом печати".
443086, г. Самара, пр. К. Маркса, 201.